McDOUGAL LITTELL

¡En español!

Unit 3 Resource Book

URB L1 U3

ISBN: 0 395 96196 3

3 4 5 6 7 8 9 — PBO — 04 03 02 01

TABLE OF CONTENTS

Unidad 3 Table of Contents

The Unit Resource Books, which accompany each unit of ***¡En español!,*** provide a wide variety of materials to practice, expand and assess the material in the ***¡En español!*** student text.

Components

Following is a list of components included in each ***Unit Resource Book*** and correlated to each *etapa*:

- ***Más práctica*** *(cuaderno),* **Teacher's Edition**
- ***Cuaderno para hispanohablantes,*** **Teacher's Edition**
- **Information Gap Activities**
- **Family Involvement**
- **Video Activities**
- **Videoscripts**
- **Audioscripts**
- **Assessment Program:**
  Cooperative Quizzes
  Etapa Exams, Forms A & B
  Exámenes para hispanohablantes
  Portfolio Assessments

Cumulative Resources, which follow the third *etapa* of each unit, include the following materials:

- **Assessment Program:**
  Unit Comprehensive Test
  Pruebas comprensivas para hispanohablantes
  Multiple Choice Test Questions
- **Answer Key**

Component Description

Más práctica (cuaderno), Teacher's Edition

The ***Más práctica*** *(cuaderno)* is directly referenced in the student text and provides additional listening, vocabulary, and grammar activities based on the material taught in each *etapa* of the student text. As an additional study tool, there are *etapa* bookmarks that include the *En resumen* vocabulary list and abbreviated grammar explanations.

Escuchar

The listening activities in the ***Más práctica*** *(cuaderno)* give students the opportunity to demonstrate comprehension of spoken Spanish in a variety of realistic contexts. While listening to excerpts from the cassette/CD that accompanies the ***¡En español!* Audio Program,** students work through two pages of listening activities to improve both general and discrete comprehension skills.

Vocabulario

These activities give students additional practice of the active vocabulary presented in each *etapa.* The activities are frequently art-based and range in style from controlled to open-ended.

Gramática

These activities reinforce the grammar points taught in the **En acción** section of each *etapa.* Each activity is keyed to a specific grammar point. The activities are frequently art-based and in a variety of formats, including sentence completion, question-answer practice, dialogue completion, and guided comprehension.

Cuaderno para hispanohablantes, Teacher's Edition

The ***Cuaderno para hispanohablantes*** is directly referenced in the student text. It includes *etapa*-specific listening, reading, grammar, spelling, dictation, writing, and culture activities that respond to the specific needs of native speakers of Spanish and gives them the opportunity to improve their Spanish in a variety of realistic contexts. As an additional study tool, there are *etapa* bookmarks that include the *En resumen* vocabulary list and abbreviated grammar explanations.

Escuchar

The listening activities in the *Cuaderno para hispanohablantes* respond to the specific needs of native speakers of Spanish and give them the opportunity to improve comprehension of spoken Spanish in a variety of realistic contexts. After listening to excerpts from the cassette/CD that accompanies the **Audio Program,** students sharpen their spelling, accentuation, and grammar skills.

Lectura

The readings and reading activities in the *Cuaderno para hispanohablantes* practice and expand upon the topics presented in the student text. The activities come in a variety of styles, including prereading activities with graphic organizers and post-reading questions that focus not only on simple comprehension but also on critical thinking.

Gramática

Geared specifically to the native speaker of Spanish, these activities offer further opportunities to practice the grammar points taught in the **En acción** section of each *etapa.* Each activity is keyed to a specific grammar point. The activities are frequently art-based and provide a variety of forms, including sentence completion, question-answer practice, real life information, dialog completion, and guided comprehension.

Escritura

Created specifically for the native speaker of Spanish, these writing activities complement those in the student text and give students additional practice. This writing practice is tailored to their individual skills and focuses on topics and themes that are touched upon in the student text.

Cultura

The activities in this section of the workbook expand upon the cultural concepts presented in the student text. These activities provide students with ample opportunities to consider their own cultural values and how those values connect with the cultural orientations of other students in the class and other speakers of Spanish. Activities focus on student text topics and themes, regional variations, and cross-cultural similarities.

Information Gap Activities

These paired communication activities are additional to the material in the back of the student book. In these activities, Student A and Student B each have unique information, which they must share in order to accomplish each activity's goal.

Family Involvement

This section offers strategies and activities to increase family support for students' learning the Spanish language and studying different cultures.

Video Activities

These previewing, viewing, and postviewing activities for the *¡En español!* **Video Program** increase comprehension of new vocabulary and grammar and expand upon the video activities in each **En acción** section.

Videoscripts

This section provides complete scripts for the entire **Video Program,** including the vocabulary presentations and dialogs for each *etapa,* and the cultural feature for each unit.

Audioscripts

This section provides scripts for the entire **Audio Program** and includes: vocabulary presentations, dialogs, readings and reading summaries, audio for *Más práctica (cuaderno)* and student text activities, audio for native speaker activities and assessment program.

Assessment Program

Cooperative Quizzes

Cooperative Quizzes are short, check-for-understanding vocabulary and grammar quizzes that can be taken individually or cooperatively.

Etapa Exams, Forms A & B

These are five-skill exams provided in two forms for easy classroom management. Each test begins with one overall testing strategy prompt to build students' confidence, and each test section will also remind students of additional strategies for test-taking success.

Exámenes para hispanohablantes

These five-skill exams parallel the focus of the objectives in the ***Cuaderno para hispanohablantes.*** Like the tests for non-native students, each native speaker test begins with a test-taking strategy that builds confidence and gently reminds students of the language strategies.

Portfolio Assessment

This component provides two assignments per *etapa.* These assignments feature outstanding speaking, writing and projects paired with holistic scoring tools for each assignment.

Cumulative Resources

Assessment Program

Unit Comprehensive Tests

Unit Comprehensive Tests are functionally driven, so they assess students' overall ability to communicate in addition to their understanding of vocabulary and grammar concepts.

Pruebas comprensivas para hispanohablantes

These tests are functionally driven like the non-native tests, yet also assess skills and concepts from the ***Cuaderno para hispanohablantes.***

Multiple Choice Test Questions

These are the print version of the multiple choice questions from the **Test Generator.** They are contextualized and focus on vocabulary, grammar, and the five skills.

Answer Key

The **Answer Key** includes answers that correspond to the following material:

- **Information Gap Activities**
- **Family Involvement**
- **Video Activities**
- **Cooperative Quizzes**
- **Etapa Exams**
- ***Exámenes para hispanohablantes***
- **Unit Comprehensive Tests**
- ***Pruebas comprensivas para hispanohablantes***
- **Multiple Choice Test Questions**

ESCUCHAR

Tape 7 • SIDE B
CD 7 • TRACKS 8–13

Emociones y actividades

For whom is each of the following sentences true, Miguel or Marta?

1. Si está triste, quiere estar solo(a). Marta
2. Si está contento(a), le gusta pasar un rato con los amigos en el parque. Marta
3. Si está triste, va con los amigos a un lugar interesante. Miguel
4. Si está enojado(a), necesita hablar con los amigos y la familia. Marta
5. Si está enojado(a), corre o practica el tenis. Miguel

El tiempo libre

Listen to the speaker and underline each thing that she says she likes to do.

hablar y comer con los amigos	ir al cine
leer novelas	ver la televisión
alquilar un video	practicar deportes

Pasar el rato

Use the words in the box to complete the paragraphs you hear.

física · practico · emocionado · cómicos · cine · estudiantes · nunca

A mí me gusta ir al ___cine___ y también ver la televisión. Está bien mirar televisión con la familia y con los amigos si los programas son ___cómicos___, pero no me gusta ver programas tristes. Me gusta ver y practicar deportes, sobre todo el béisbol. ___Practico___ el béisbol casi todos los días, y voy al estadio para ver deportes profesionales. En el estadio siempre estoy muy ___emocionado___.

Me gusta ir a la escuela también. Los otros ___estudiantes___ son simpáticos y los profesores son interesantes. La única clase que no me gusta es educación ___física___, porque ___nunca___ practicamos el béisbol.

Nombre ______________________ Clase ______________ Fecha ______________

ACTIVIDAD 4 Un día típico

Listen to the speaker and say when she is or feels each of the following.

1. ocupada en la escuela
2. cansada después de las clases
3. más alegre después de hacer ejercicio o caminar con el perro
4. deprimida si tiene mucha tarea
5. nerviosa si tiene un examen
6. tranquila si estudia un rato y termina la tarea/si está preparada para el examen

ACTIVIDAD 5 ¿De dónde vienen?

The members of the student council have just arrived for the council meeting. Listen as they say where they have been and what they have been doing. Then fill out the chart with the correct information.

	Billy	**Ramona**	**Miguel**	**Leonor**
¿De dónde viene?	del gimnasio	del estadio	del cine	de la tienda
¿Qué es lo que acaba de hacer?	practicar voleibol	ver fútbol profesional	ver una película	vender una novela

ACTIVIDAD 6 Por teléfono

Listen as two people discuss what they like to do. Then imagine that you want to call one of them to invite him somewhere. Base your invitation on what the person says he likes to do. Write your conversation on the lines provided. Answers will vary.

____

____

____

____

____

____

VOCABULARIO

¡Qué emoción!

The students have just received their grades. Match each person to his or her emotion. Each answer will be used only once.

f 1. Está triste.

d 2. Está preocupado(a).

a 3. Está tranquilo(a).

c 4. Está emocionado(a).

b 5. Está enojado(a).

e 6. Está contento(a).

¿Qué vamos a hacer?

Select the phrase from the word box that best fits each sentence. Each phrase will be used only once.

a alquilar un video | al cine | a practicar deportes | al concierto | de compras

1. Quiero ver una película con Cary Grant. Vamos a la tienda de videos a alquilar un video.
2. Mi hermana y yo queremos tener más energía. Vamos todos los días al gimnasio a practicar deportes.
3. ¿Te gustaría ver una película nueva? ¿Quieres acompañarme al cine?
4. Necesito ropa nueva para llevar a la escuela. Vamos de compras.
5. ¿Te gusta la música de Lucero? Vamos al concierto el sábado. Te invito.

Nombre ______________________ Clase ______________ Fecha ______________

ACTIVIDAD 9 El mundo del teléfono

Label the items in the drawing on the lines provided.

ACTIVIDAD 10 La máquina contestadora

María Antonieta's answering machine is acting up. Help her get her messages by filling in the blanks in the messages she received.

—Buenos días, María Antonieta, llama Angélica. Gracias por invitarme a ver a los niños el jueves, pero ___Answers will vary.___

____

—Hola, María Antonieta, llama Berta. ¿Quieres ___acompañarme/venir conmigo___ al ___Answers will vary.___?

—Buenas tardes, señora. Soy Rafa. Quiero ___dejar un___ mensaje para su hijo. Dígale que ___me llame___, por favor. Gracias.

GRAMÁTICA: *estar* AND ADJECTIVES

¡Qué lástima!

Underline the word that best completes the sentence.

1. Estoy (nervioso/contento) si hay un examen difícil.
2. Después de trabajar todo el día, estoy (emocionado/cansado).
3. Si mi hermanita lleva mi suéter favorito, estoy (enferma/enojada).
4. Si no veo a mis amigos por mucho tiempo, estoy (triste/alegre).
5. Hoy no voy a clase porque estoy (tranquilo/enfermo).

Actividad 12 ¡Qué emoción!

Say how the people might feel in the following situations.

modelo: La familia de Carolina va a vivir en una ciudad donde ella no tiene amigos. Está triste y nerviosa. **Answers will vary. Possible answers:**

1. Marco no viene al concierto, tiene que estudiar. **Está enojado.**
2. Susana saca buenas notas en los exámenes. **Está contenta.**
3. No tenemos tarea hoy. **Estamos alegres.**
4. Mi amigo no viene al cine. **Está enfermo.**
5. Vamos a casa a ver la televisión y oír música. **Estamos cansados.**

Estoy contento cuando...

Choose three emotions from the word box and describe a situation in which you might feel each emotion. **Answers will vary.**

modelo: Estoy tranquila después de un examen.

enojado(a) contento(a) ocupado(a) tranquilo(a) preocupado(a) emocionado(a)

______

______

______

Nombre ______________________ Clase ______________ Fecha ______________

GRAMÁTICA: *acabar de*

¿Qué hacen?

In each sentence below, underline the word that best describes the picture.

1. Luisa (canta/acaba de cantar).
2. Marta (quiere beber/acaba de beber).
3. Benita (quiere comer/acaba de comer).
4. Sara (quiere comer/acaba de comer).
5. Anita y Aurelio (bailan/acaban de bailar).
6. Richard (bebe/acaba de beber).

15 Acabamos de...

Use **acabar de** to say what each person has just done. **Answers will vary. Possible answers:**

modelo: María / hacer María acaba de hacer la tarea.

1. Jorge / hablar **Jorge acaba de hablar con Luis.**
2. nosotros / ir **Acabamos de ir al cine.**
3. ustedes / ver **Acaban de ver la televisión.**
4. yo / comprar **Acabo de comprar una novela.**
5. tú / pasar por **Acabas de pasar por una plaza.**

GRAMÁTICA: THE VERB *venir*

ACTIVIDAD 16 Vengo de...

Underline the word that best fits the sentence.

1. La profesora (vengo/viene) de su oficina.
2. —Hola, Manuelito. ¿De dónde (vengo/vienes)?

   —(Vienes/Vengo) del supermercado.
3. ¿Los niños (vienen/vienes) de clase?
4. Ya no tenemos hambre, pues (vienen/venimos) de comer en casa de unos amigos.

ACTIVIDAD 17 ¿Y tú?

For each of the times listed, say where you are coming from, what you have just done, and how you feel. **Answers will vary.**

modelo: los lunes por la mañana Vengo de casa. Acabo de llegar a la escuela. Estoy cansada.

1. los miércoles a las cuatro de la tarde ______________________________
2. los sábados a las once de la noche ______________________________
3. los lunes a las ocho de la noche ______________________________
4. los domingos por la tarde ______________________________
5. los martes a las ocho de la mañana ______________________________

Nombre ______ Clase ______ Fecha ______

GRAMÁTICA: *gustar* + INFINITIVE

Nos gusta hacer muchas cosas

Underline the pronoun that best fits the sentence.

1. A nosotros (les/nos) gusta practicar deportes.
2. A mi padre (le/les) gusta estar en la casa.
3. ¿A ustedes (les/nos) gusta pasear por el Viejo San Juan?
4. A ti (te/me) gusta mucho ir al cine, ¿no?
5. A mí (te/me) gusta más ir de compras.

¿Qué más les gusta?

Choose a word or phrase from each word box. Use the two phrases together in a sentence with the verb **gustar** to tell what the people like to do.

modelo: mis primos/videos A mis primos les gusta ver videos.

nosotros mi amigo(a) Carlos y Mateo mí ustedes ti	el parque los libros el perro la merienda la clase el cine

1. Answers will vary. ______
2. ______
3. ______
4. ______
5. ______

Nombre ______________________ Clase ______________ Fecha ______________

ESCUCHAR

Tape 7 • SIDE B
CD 7 • TRACKS 14–16

Los diptongos con acento y diptongos separados

Cuando un diptongo lleva el golpe, pero rompe las reglas de acentuación, la vocal fuerte (**a, e, o**) lleva un acento y toda la sílaba del diptongo se pronuncia con más énfasis.

Escucha las siguientes palabras. ¿Recuerdas qué regla de acentuación rompen?

in-for-ma-ción   die-ci-séis   des-pués
pe-rió-di-co   béis-bol   es-cu-cháis

Si la vocal débil de una combinación de vocales recibe el golpe, siempre lleva un acento escrito y el diptongo se divide en dos sílabas. (Recuerda que la combinación de dos vocales fuertes también se divide en dos sílabas.)

Escucha las siguientes palabras en las que el acento escrito rompe el diptongo.

dí-a   gus-ta-rí-a   ra-íz   plan-tí-o   frí-o

Acento escrito A

Subraya los diptongos en las siguientes palabras. Luego, escúchalas. Identifica la sílaba que lleva el golpe. Si necesita acento escrito, escríbelo. Puedes dividir las palabras en sílabas.

1. huerfano huér/fa/no
2. cuidado cui/da/do
3. confluencia con/fluen/cia
4. criollos crio/llos
5. miercoles miér/co/les

Acento escrito B

Escucha las siguientes palabras con diptongos intactos y diptongos separados. Luego, escribe acentos sobre las palabras que los necesitan. Puedes dividirlas en sílabas.

1. guia guí/a
2. maiz ma/íz
3. voleibol vo/lei/bol
4. cobardia co/bar/dí/a
5. libreria li/bre/rí/a
6. imitacion i/mi/ta/ción
7. precioso pre/cio/so
8. camion ca/mión
9. patriotico pa/trió/ti/co
10. anarquia a/nar/quí/a

Nombre ______ Clase ______ Fecha ______

LECTURA

Actividad 3 Antes de leer

Apunta algunos tipos de música o bailes populares que se basan en ritmos folklóricos.

Answers will vary. Some possibilities are: bomba, plena, son, soukous.

Plena Libre

La plena tradicional es un tipo de música popular puertorriqueña del siglo XIX que hoy en día es promocionada por grupos culturales puertorriqueños. La plena libre expresa una tendencia moderna del mundo de ritmos y bailes. En muchos países hispanos, hay un renacimiento de interés en la música folklórica que es parte de la herencia cultural. La popularidad de grupos andinos y de nuevos conjuntos de mariachis es una prueba de esta tendencia.

Plena Libre es un grupo de jóvenes músicos puertorriqueños que adaptan la música folklórica de su isla a composiciones más modernas. Este grupo vuelve a las raíces culturales de Borinquen (Puerto Rico), renueva su ritmo folklórico y lo despierta a la realidad contemporánea. Su popularidad se demuestra en el éxito de sus discos compactos y en los grupos que imitan su música.

Actividad 4 ¿Comprendiste?

¿Cierto o falso? Indica si cada oración es cierta o falsa. Corrige las oraciones falsas.

1. F La plena tradicional es un tipo de música popular del siglo XX.
   La plena tradicional es un tipo de música popular del siglo XIX.
2. C En América Latina, cada día hay más interés en las tradiciones del pasado.
3. F La música folklórica se asocia con la pobreza cultural.
   La música folklórica se asocia con la herencia cultural.
4. C Plena Libre combina los ritmos folklóricos con elementos más modernos.
5. C Otros grupos musicales imitan el estilo de Plena Libre.

GRAMÁTICA: *estar* CON ADJETIVOS DE EMOCIÓN

Por eso, estoy mal

Explica cómo están las siguientes personas. Utiliza las palabras del banco de palabras. ¡Ojo! Usa la forma correcta de los adjetivos. **Answers will vary. Possible answers:**

contento(a) nervioso(a) ocupado(a) preocupado(a) deprimido(a) enojado(a) triste

modelo: Luis tiene un examen muy difícil. Por eso, Luis está nervioso.

1. Los estudiantes tienen que escribir un ensayo de cincuenta páginas, tienen un examen el viernes y tienen una presentación el lunes. Por eso, los estudiantes **están ocupados.**
2. Voy al cine con mis amigas. Por eso, yo **estoy contento(a).**
3. El padre de Silvia le regaló un vestido muy bonito. Por eso, Silvia **está contenta.**
4. Tu madre está en el hospital. Por eso tú **estás preocupado(a).**
5. Los niños perdieron su gato. Por eso los niños **están deprimidos.**
6. Alguien robó mi bicicleta. Por eso yo **estoy enojado(a).**
7. Michelle tiene que cantar delante de gente por primera vez. Por eso ella **está nerviosa.**

ACTIVIDAD 6

¿Cuándo te sientes así?

¿Cuándo te sientes así? Explica cuándo sientes las siguientes emociones.

modelo: deprimido(a) Estoy deprimido(a) cuando no tengo tiempo libre.

1. emocionado(a) **Answers will vary.**
2. cansado(a) _______________
3. tranquilo(a) _______________
4. triste _______________
5. enojado(a) _______________

Nombre _______________ Clase _______________ Fecha _______________

GRAMÁTICA: *acabar de*

ACTIVIDAD 7 ¿Qué es lo que acaban de hacer?

Basándote en la situación, explica qué es lo que estas personas acaban de hacer.

caminar con el perro · comer el almuerzo · hacer ejercicio · comprar una novela · ver una película · sacar un libro · tomar un examen

modelo: Estamos en el cine. Acabamos de ver una película.

1. Mis amigos están en la tienda. Acaban de comprar una novela.
2. Llegas a casa con el perro. Acabas de caminar con el perro.
3. Estoy en la clase. Acabo de tomar un examen.
4. El maestro está en la cafetería. Acaba de comer el almuerzo.
5. Estamos en la biblioteca. Acabamos de sacar un libro.
6. La gente está en el gimnasio. Acaban de hacer ejercicio.

ACTIVIDAD 8 ¿Cómo están y por qué?

Explica cómo están las siguientes personas y por qué están así. Answers will vary.

modelo: yo / triste Estoy triste porque acabo de ver una película triste.

1. ustedes / enojado(a) Ustedes están enojados porque acaban de llegar tarde al cine.
2. tú / preocupado(a) Estás preocupado(a) porque acabas de tomar un examen.
3. el maestro / cansado(a) El maestro está cansado porque acaba de leer cien composiciones.
4. nosotros / contento(a) Estamos contentos porque acabamos de sacar buenas notas.
5. Sonya / tranquilo(a) Sonya está tranquila porque acaba de hacer la tarea.
6. yo / deprimido(a) Estoy deprimido(a) porque acabo de leer una novela triste.

Nombre ____________ Clase ____________ Fecha ____________

GRAMÁTICA: *venir*

¿De dónde vienen?

Explica de dónde vienen las siguientes personas.

modelo: Nora/el supermercado Nora viene del supermercado.

1. ustedes / la playa Ustedes vienen de la playa.
2. mi amiga y yo / la isla Vieques Mi amiga y yo venimos de la isla Vieques.
3. tu padre / el aeropuerto Tu padre viene del aeropuerto.
4. Ignacio y tú / la escuela Ignacio y tú vienen de la escuela.
5. Teresa y Fred / el partido de fútbol Teresa y Fred vienen del partido de fútbol.
6. yo / la iglesia Yo vengo de la iglesia.

ACTIVIDAD 10

Acaban de...

Basándote en lo que acaban de hacer las siguientes personas, explica de dónde viene cada una. Usa cada respuesta sólo una vez.

modelo: Ricardo y Susi acaban de estudiar para el examen. Vienen de la biblioteca.

aeropuerto, biblioteca, cafetería, gimnasio, concierto, parque, oficina

1. Acabamos de escuchar música. Venimos del concierto.
2. Acabo de practicar voleibol. Vengo del gimnasio.
3. Acabas de pasear con unos amigos. Vienes del parque.
4. Pedro y Ana acaban de regresar de vacaciones. Vienen del aeropuerto.
5. Los estudiantes acaban de comer. Vienen de la cafetería.
6. El maestro acaba de hablar con el director. Viene de la oficina.

Nombre ______________________ Clase ______________ Fecha ______________

GRAMÁTICA: *gustar* + INFINITIVO

¿A quién le gusta?

Completa el mensaje de Gustavo con **a mí, a ti, a él, a ellos** o **a nosotros.**

¡Saludos de Nueva York!

¿Cómo estás? Estoy muy bien aquí en Nueva York. ___A mí___ me gusta mucho la ciudad. Tengo muchos amigos nuevos que también tienen parientes en Puerto Rico. ___A nosotros___ nos gusta salir y comer en restaurantes.

Pedro es uno de mis amigos nuevos. Él es de Puerto Rico. Es una persona muy divertida. ___A él___ le gusta mucho la música. Tiene un montón de discos compactos de grupos de música latina.

Alisa es otra amiga mía. Ella tambien es muy buena amiga de Pedro. Ellos van a menudo a conciertos de música latina. ___A ellos___ les encanta Plena Libre. ¿Lo conoces? Es un grupo puertorriqueño de música folklórica.

Si me vienes a visitar, vamos a salir con ellos a comer y a ver un concierto de música. Sé que ___a ti___ te gusta comer y aunque no te gusta bailar, ya vas a ver qué bien lo vamos a pasar.

ACTIVIDAD 12 ¿A quién le gusta?

¿A quién le gusta hacer estas cosas? Escribe una oración diciendo a quién le gusta hacer cada una de las siguientes actividades. Utiliza las personas del banco de palabras, o añade otras personas. **Answers will vary.**

yo | tú | mi amigo(a) | nosotros | ustedes | mis padres

modelo: ir al cine <u>A mí me gusta ir al cine.</u>

1. comer en restaurantes elegantes ______________________
2. escuchar música clásica ______________________
3. estudiar en la biblioteca ______________________
4. practicar deportes ______________________
5. correr en el parque ______________________
6. ver películas de horror ______________________

ESCRITURA

La música

La lectura de esta etapa trata de un grupo musical que combina ritmos folklóricos con elementos modernos. Piensa en la música que escuchan tú y tus amigos. Haz una lista de palabras que asocias con esa música. ¿Qué elementos de otra música hay en las canciones que escuchas? ¿Qué instrumentos utilizan los músicos para crear la música que escuchas?

Answers will vary.

La música y la identidad

Ahora, piensa en la música que a ti te gusta escuchar. ¿Por qué te gusta ese tipo de música? ¿Con qué asocias ese tipo de música? ¿con tus amigos, con tu cultura o con alguna experiencia personal? ¿Cómo es el ritmo de la música que más te gusta? Imagínate que quieres escribir acerca de la música que más te gusta a un amigo o una amiga por correspondencia (*pen pal*). Habla de tu grupo musical preferido o del tipo de música que más te gusta. Puedes incorporar las oraciones que escribiste en la Actividad 13.

Answers will vary.

Nombre ______ Clase ______ Fecha ______

CULTURA

Actividad 15 Saludos

Imagínate que llamas a un número extranjero. La persona que contesta el teléfono dice una de las palabras a continuación. En el espacio, escribe el nombre del país donde contestan así el teléfono.

Argentina Chile España México Puerto Rico Uruguay

1. «¡Aló!» Chile
2. «Bueno.» México
3. «Oigo.» Uruguay
4. «Hable.» Argentina
5. «¡Hola!» Puerto Rico
6. «Diga.» España

Actividad 16 Mi amigo

Completa cada descripción con la palabra que usan en ese país para decir «un buen amigo». ¡Ojo! Hay que saber a qué país corresponden las ciudades mencionadas.

1. Mi colega Loló y yo pasamos mucho tiempo en las terrazas de la Plaza Mayor de Madrid.
2. Voy con mis patas todos los sábados al cine en el centro de Cuzco.
3. En Caracas, todos los fines de semana voy de compras con mis vales.
4. A mi cuadro Juancito y a mí nos gusta comer en los restaurantes de Bogotá.
5. Corro con mi cuate tres días de la semana en el Parque Chapultepec de México, D.F.
6. Mi grupo de panas compra música andina cuando va de excursión a Quito.

Nombre ______________ Clase ______________ Fecha ______________

1 ¿Cómo están los amigos y la familia?

Estudiante A

Ask your partner how the people on your list are doing. Write down your partner's answers. Then, answer your partner's questions using the drawings.

Delmira

Daniel

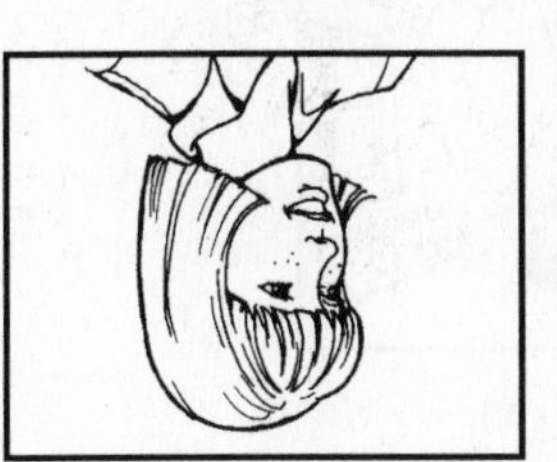

Francisca

El tío Alberto

1. La tía Esmeralda ______________

2. Andrés ______________

3. Martín ______________

4. Melissa ______________

Estudiante B

Answer your partner's questions about the drawings below. Then ask your partner how the people on your list are doing. Write down your partner's answers.

Martín

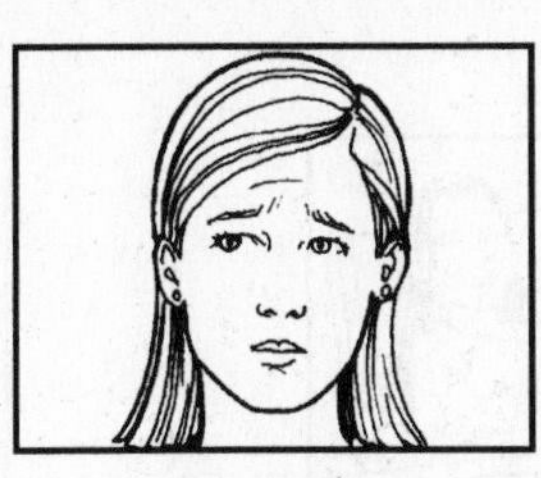

Melissa

Andrés

La tía Esmeralda

1. Francisca ______________

2. El tío Alberto ______________

3. Delmira ______________

4. Daniel ______________

Nombre ______________________ Clase ______________ Fecha ______________

2 ¿Qué acaba de pasar?

Estudiante A

Ask your partner what some of his or her family members just finished doing. Write down your partner's answers. Then answer your partner's questions about what some people in your family just finished doing.

Laura **mis padres** **Miguel**

1. ¿Qué acaba de hacer Rosa? ______________________
2. ¿Qué acaba de hacer Paquita? ______________________
3. ¿Qué acaba de hacer tu mamá? ______________________

Estudiante B

Answer your partner's questions about what some people in your family just finished doing. Then ask your partner questions about what some of his or her family members just finished doing. Write down your partner's answers.

Rosa

Paquita

mi mamá

1. ¿Qué acaba de hacer Laura? ______________________
2. ¿Qué acaban de hacer tus padres? ______________________
3. ¿Qué acaba de hacer Miguel? ______________________

Nombre ______________________ Clase ______________ Fecha ______________

3 ¿Qué les gusta hacer?

Estudiante A

Ask your partner what the people on your list like to do. Write down your partner's answers. Then answer your partner's questions about the people in the drawings.

el señor Cepeda y el señor Villa

Federico y Salvador

nosotros

1. A Marta y a Lupe ______________________

2. A ustedes ______________________

3. A Guillermo y a Rosario ______________________

Estudiante B

Answer your partner's questions about the people in the drawings below. Then, ask your partner what the people on your list like to do. Write down your partner's answers.

nosotros

Guillermo y Rosario

Marta y Lupe

1. Al señor Cepeda y al señor Villa ______________________

2. A Federico y a Salvador ______________________

3. A ustedes ______________________

Nombre ______________________ Clase ______________ Fecha ______________

4 ¿Qué hace para llamar?

Estudiante A

Ask your partner the following questions about using the telephone. Write down your partner's answers. Then answer your partner's questions about the telephone using the items below.

1. La familia Ruiz no está en casa. ¿Cómo puedo dejar un mensaje? ______________

2. Mi amiga no está. ¿Qué voy a hacer? ______________

3. ¿Cual es el mensaje de la máquina contestadora? ______________

4. Necesito el número de teléfono de la tienda. ¿Qué voy a hacer? ______________

Estudiante B

Answer your partner's questions about the telephone using the items below. Then, ask your partner the following questions about using the telephone. Write down your partner's answers.

1. ¿Qué dicen los padres de mi amigo si mi amigo no está pero va a venir en una hora? ______________

____

2. Carmen y Joaquín no están. ¿Cómo puedo dejar un mensaje? ______________

3. Uso el teléfono muy poco. ¿Qué hago para llamar a mi amiga? ______________

4. Necesito el número de teléfono de la escuela. ¿Qué voy a hacer? ______________

Nombre ______ Clase ______ Fecha ______

UNA INVITACIÓN

Tell a family member that you would like to invite him or her to do something with you this weekend. Have the family member choose from the activities shown below.

- First, explain what your assignment is.
- Model the pronunciation of the words below each image. Point to the words as you say them.
- Then, ask the question below.
  ¿Te gustaría...?
- After you get an answer, complete the sentence at the bottom of the page.

¿practicar deportes?

¿alquilar un video?

¿ir de compras?

¿ir a un concierto?

A ______________ le gustaría ______________________________.

Nombre ______________________ Clase ______________ Fecha ______________

¿CÓMO ESTÁS?

Interview a family member. Ask how he or she is feeling at the moment. Have the family member choose the drawing below that best matches how he or she feels.

- First, explain what your assignment is.
- Be sure to model the pronunciation of the words. Point to the person as you say each word. Explain that the adjective ending will depend on whether the adjective is being used to describe a male or a female. For example, your brother would say "**Estoy cansad<u>o</u>**" but your mother would say "**Estoy cansad<u>a</u>**."
- Then, ask how he or she would complete the sentence below.
  Hoy estoy…
- After you get an answer, complete the sentence at the bottom of the page.

______________________ está ______________________.

Nombre ______________________ Clase ______________ Fecha ______________

EN CONTEXTO: VOCABULARIO

Before you watch the **En contexto** section of the video for this **etapa**, read these activities to become familiar with the information you need to look for.

¿Cierto o falso?

For each of the following items, circle **C** for **cierto** (true) or **F** for **falso** (false).

C F **1.** Diana Ortiz Avilés vive en Puerto Rico.

C F **2.** Cuando Diana tiene tiempo libre, le gusta ir a la plaza.

C F **3.** A Diana le gusta mirar a la gente cuando va de compras.

C F **4.** Diana va al gimnasio hoy.

C F **5.** A Diana no le gusta alquilar videos.

C F **6.** Ignacio acaba de practicar fútbol y tenis.

C F **7.** Ignacio invita a Diana a un concierto esta noche.

C F **8.** Diana quiere ir al concierto con Ignacio.

ACTIVIDAD 2

Sí o no

Write **Sí** next to the observations that Diana makes about how people feel at the mall. Write **No** next to the observations that Diana does not make.

______________ **1.** Mira al niño. Está enfermo.

______________ **2.** Y su mamá está preocupada.

______________ **3.** Esa mujer está tranquila.

______________ **4.** Ese cliente de la camisa roja está enojado.

______________ **5.** Esa mujer está feliz.

______________ **6.** El muchacho está deprimido.

Nombre ______________________ Clase ______________ Fecha ______________

EN VIVO: DIÁLOGO

Before you watch the **En vivo** section of the video for this **etapa**, read these activities to become familiar with the information you need to look for. Then, do the activities.

ACTIVIDAD 3 ¿Cierto o falso?

For each of the following items, circle **C** for **cierto** (true) or **F** for **falso** (false). Correct the sentences that are false.

C F **1.** Ignacio no es hermano de Diana.

____

C F **2.** Roberto llama a Ignacio por teléfono desde Minnesota.

____

C F **3.** Roberto y su familia van a vivir en Puerto Rico.

____

C F **4.** Roberto llega el domingo a Puerto Rico.

____

C F **5.** Ignacio está contento, pero también un poco nervioso.

____

ACTIVIDAD 4 ¿Quién es?

Identify the person in each of the following situations.

______________ **1.** Viene a vivir a Puerto Rico con su familia.

______________ **2.** Quiere ir de compras.

______________ **3.** Ve la televisión y lee una revista.

______________ **4.** Está súper contento.

______________ **5.** Tiene que practicar béisbol.

______________ **6.** Está en Minnesota.

______________ **7.** Para esta persona los buenos amigos son amigos para siempre.

______________ **8.** Está un poco preocupado.

______________ **9.** Acaba de comprar unos zapatos.

Ignacio y Roberto

Answer the following questions.

1. ¿Por qué está emocionado Roberto?

____

2. ¿Está contento Ignacio?

____

3. ¿A qué actividad invita Ignacio a Roberto?

____

4. ¿Cuándo es la práctica de béisbol?

____

5. ¿Por qué no quiere ver un video Ignacio?

____

Extending and declining invitations

Answer the following questions.

1. What are the words that Ignacio and Diana use to extend an invitation?

____

____

____

____

2. What are the words that Ignacio uses to decline invitations?

____

____

____

____

En contexto, Pupil's Edition
Level 1 pages 170–171
Middle School pages 194–195

Video Program Videotape 3/Videodisc 2A
1:29

Search Chapter 2, Play To 3
U3E1 • En contexto (Vocabulary)

Diana: Hola. Me llamo Diana Ortiz Avilés, y vivo aquí en Puerto Rico. Hoy estoy contenta porque tengo un poco de tiempo libre. Y ¿qué voy a hacer en mi tiempo libre? ¡Voy de compras! Me gusta mucho ir de compras. Te invito, ¿quieres acompañarme? ¡Vamos! Cuando voy de compras, me gusta mirar a la gente. Mira al niño. Está enfermo. Y su mamá está preocupada. Esa mujer está muy ocupada. Ese cliente de la camisa roja está enojado. Y él, está nervioso. Ahora voy al cine. ¿Te gustaría venir conmigo? ¡Mira a la gente! Acaban de ver una película. Esa mujer está triste. Ese hombre está alegre. Esa muchacha está emocionada. El muchacho está deprimido… pero su amiga está tranquila. ¿Y yo? Yo estoy cansada. No voy al cine. ¡Voy a alquilar un video!

Ignacio: ¡Hola, Diana!

Diana: ¡Hola, Ignacio! ¿Qué haces?

Ignacio: Acabo de practicar deportes.

Diana: ¿Sí? ¿Qué deportes acabas de practicar?

Ignacio: Acabo de practicar béisbol y tenis. Diana, ¿quieres acompañarme a un concierto esta noche? ¡Te invito!

Diana: ¡Sí, me encantaría! ¡Claro que sí! Voy al concierto esta noche. ¡Qué chévere!

En vivo, Pupil's Edition
Level 1 pages 172–173
Middle School pages 196–197

Video Program Videotape 3/Videodisc 2A
5:23

Search Chapter 3, Play To 4

U3E1 • En vivo (Dialogue)

Diana: Oye, hermano, voy de compras. ¿Quieres acompañarme?

Ignacio: No, tal vez otro día.

Diana: Anda, Ignacio, vamos. ¿Qué vas a hacer aquí? ¡Qué aburrido!

Ignacio: ¡El teléfono!

Diana: Ay, Ignacio. No tienes que contestar; la máquina contesta.

Mensaje: Es la casa de la familia Ortiz. Deja un mensaje después del tono. ¡Gracias!

Roberto: ¡Oye, Ignacio! Habla tu viejo amigo Roberto. Ignacio, ¿estás allí? Si estás allí, ¡por favor contesta!

Ignacio: ¡Sí, Roberto, estoy aquí! ¡Qué sorpresa! ¿Cómo estás? ¿Dónde estás? En Minnesota, ¿no?

Roberto: Sí, en Minnesota. Mira, no tengo mucho tiempo para hablar, pero tengo muy buenas noticias. ¡Estoy muy emocionado!

Ignacio: ¿Qué pasa?

Roberto: Mi familia y yo vamos a Puerto Rico, no sólo a visitar, sino ¡a vivir! Llegamos el viernes.

Ignacio: ¡Qué chévere! ¿Estás contento?

Roberto: Sí, súper contento. ¿Cuándo hablamos?

Ignacio: Te invito a mi práctica de béisbol. Es el sábado, a las dos. ¿Te gustaría venir?

Roberto: ¡Claro que sí! En el lugar de siempre, ¿no?

Ignacio: Sí, en el mismo lugar de siempre.

Roberto: Bueno, el sábado a las dos. ¡Adiós!

Ignacio: Adiós, Roberto. Saludos a tu familia.

Diana: ¿Tu pana Roberto? ¿Qué pasa?

Ignacio: Roberto y su familia vienen a vivir a Puerto Rico de nuevo.

Diana: Oye, ¡qué bien! Estás contento, ¿no?

Ignacio: Pues, sí. Pero también estoy un poco nervioso.

Diana: ¿Por qué?

Ignacio: No sé... después de dos años, ¿cómo va a ser Roberto?

Diana: Va a ser el Roberto de siempre. Bueno, ¿quieres ir de compras, o no?

Ignacio: Pues, sí, hermanita. Ya no quiero ver más deportes. Vamos.

Diana: ¡Aquí estás! Acabo de comprar unos zapatos.

Ignacio: Yo vengo del cine. ¿Quieres ver una película después de las compras?

Diana: ¿Hay una película interesante?

Ignacio: Hay muchas. Hay películas de acción, de misterio...

Diana: ¿ ...y de romance?

Ignacio: A las muchachas sólo les gusta ver las películas de romance, ¿no es verdad? ¿Quieres ver una?

Diana: ¡No, no es verdad! También nos gusta ver las películas de acción y de misterio.

Diana: ¡Ignacio! ¿Qué pasa? ¿Estás preocupado?

Ignacio: Sí, estoy un poco preocupado.

Diana: ¿Es Roberto? Ay, Ignacio, cálmate.

Ignacio: Es que... dos años en Minnesota... ya no conozco a Roberto.

Diana: ¡No te preocupes! Los buenos amigos son amigos para siempre.

Ignacio: Sí, es verdad.

Diana: Oye, ¿por qué no alquilamos un video?

Ignacio: No, no. Roberto viene a mi práctica de béisbol. ¡Tengo que practicar! ¡Quiero estar listo!

En contexto, Pupil's Edition
Level 1 pages 170–171
Middle School pages 194–195

Disc 7 Track 1

Look at the illustrations to see what Diana and Ignacio do in their free time. This will help you understand the meaning of the words in blue. It will also help you answer the questions on the next page.

A **Narrator:** Ignacio y Diana tienen tiempo libre. Hoy van a unas tiendas para ir de compras.
Diana: ¿Quieres acompañarme a comprar unas cosas?
Ignacio: Sí, me encantaría.

B **Narrator:** El muchacho de la tienda trabaja mucho. Él está muy ocupado.
Diana: ¿Por qué no alquilamos un video? ¿Te gustaría ver algo?
Ignacio: ¡Claro que sí!

C **Narrator:** ¡Para Ignacio y Diana es divertido tomar fotos! Expresan muchas emociones. Primero, Diana está alegre, pero Ignacio está triste. Luego, Diana está enojada, pero Ignacio no. Él está tranquilo. Al final Ignacio está preocupado, pero Diana no. Ella está contenta.

D **Narrator:** El hombre que trabaja en la tienda está nervioso. ¡El cliente de la camisa roja está enojado! La madre cuida a su niño. Él está enfermo.

E **Narrator:** Ignacio y Diana van al cine. Después de ver la película, Diana está cansada.

F **Narrator:** En el estadio la comunidad practica deportes. En Puerto Rico el deporte favorito es el béisbol. Muchas personas miran. Unas están emocionadas, otras están deprimidas.
Ignacio: Te invito a ir a un concierto.
Diana: ¡Gracias!

En vivo, Pupil's Edition
Level 1 pages 172–173
Middle School pages 196–197

Disc 7 Track 2

La llamada

Diana: Oye, hermano, voy de compras. ¿Quieres acompañarme?
Ignacio: No, tal vez otro día.
Diana: ¡Qué aburrido!
Ignacio: ¡El teléfono!
Diana: Ay, Ignacio. No tienes que contestar; la máquina contesta.
Mensaje: Es la casa de la familia Ortiz. Deja un mensaje después del tono. ¡Gracias!
Roberto: ¡Oye, Ignacio! Habla tu viejo amigo Roberto. Si estás allí, ¡por favor, contesta!
Ignacio: ¡Sí, Roberto, estoy aquí! ¡Qué sorpresa! ¿Cómo estás? ¿Dónde estás? En Minnesota, ¿no?
Roberto: Tengo buenas noticias. ¡Estoy muy emocionado! ¡Mi familia y yo vamos a Puerto Rico a vivir! Llegamos el viernes. ¿Cuándo hablamos?
Ignacio: Te invito a mi práctica de béisbol. Es el sábado, a las dos. ¿Te gustaría venir?
Roberto: ¡Claro que sí! En el lugar de siempre, ¿no?
Ignacio: Sí, en el mismo lugar de siempre.
Roberto: Bueno, ¡adiós!
Diana: ¿Tu pana Roberto?
Ignacio: Roberto y su familia vienen a vivir a Puerto Rico de nuevo.
Diana: Estás contento, ¿no?
Ignacio: Sí, pero también estoy nervioso.
Diana: Va a ser el Roberto de siempre. Bueno, ¿quieres ir de compras, o no?
Ignacio: Pues, sí, hermanita. Ya no quiero ver más deportes. Vamos.
Diana: Acabo de comprar unos zapatos.

Ignacio: Yo vengo del cine.
Diana: ¿Hay una película interesante?
Ignacio: A las muchachas sólo les gusta ver las películas de romance, ¿no es verdad?
Diana: ¡No! ¡También nos gusta ver otras!
¿Qué pasa? ¿Estás preocupado?
Ignacio: Es que… dos años en Minnesota… ya no conozco a Roberto.
Diana: ¡No te preocupes! Los buenos amigos son amigos para siempre.

En acción, Pupil's Edition Level 1 pages 175, 182 Middle School pages 200, 210

Disc 7 Track 3

Actividad 4/5 El tiempo libre de su amiga

Escuchar Listen to Diana's friend. She is talking about what she does on Saturdays. Then put her activities in order.

Los sábados estoy muy ocupada. Primero, por la mañana, siempre cuido a mi hermano Juan. Después, preparo el almuerzo para la familia. Comemos una torta o una hamburguesa y tomamos un refresco. Por la tarde, hago mi tarea y ayudo a mi madre. Después, paso un rato con mis amigos. Practicamos deportes o vamos de compras. Por la noche, mis amigos y yo vamos al cine o alquilamos un video.

Disc 7 Track 4

Actividad 18/21 Una conversación telefónica

Escuchar Listen to the conversation between Ignacio and Roberto. Then say if the sentences below are true or false. Correct the false ones.

Señora Campos: Hola.
Ignacio: Buenas tardes, señora. ¿Puedo hablar con Roberto?
Señora Campos: Un momento.
Ignacio: Gracias, señora.
Roberto: Hola, Ignacio, ¿cómo estás?
Ignacio: Bien, gracias. Oye, Roberto, ¿te gustaría ir al cine el sábado?
Roberto: Gracias, Ignacio, pero no puedo. Tengo que ir a casa de mi abuela. Es su cumpleaños.
Ignacio: ¿Y el domingo? ¿Tienes tiempo libre?
Roberto: Sí, tengo tiempo libre el domingo. ¿A qué hora es la película?
Ignacio: La película es a las cuatro y media. Llego a tu casa a las cuatro menos cuarto.
Roberto: Bueno. Entonces, hasta el domingo. Adiós.

Pronunciación Level 1 page 183 Middle School page 211

Refrán

Pronunciación de la b <be o be larga> y la v <ve, uve o ve corta> The **b** and **v** are pronounced alike. At the beginning of a phrase and after the letters **m** or **n,** they are pronounced like the English *b* in the word *boy.* In the middle of a word, a softer sound is made by vibrating the lips. Practice the following words.

bueno **v**amos aca**b**a **n**ovela hom**b**re

La b es de burro.

La v es de vaca.

Now try this **refrán.** Can you guess what it means?

No hay mal que por bien no venga.

En voces, Pupil's Edition Level 1 pages 184–185

Disc 7 Track 6

Bomba y plena

La bomba y la plena son danzas típicas de Puerto Rico. Tienen sus orígenes en la música africana. Los instrumentos originales para tocar esta música alegre son los tambores, las panderetas, las maracas y el cuatro. El cuatro es un tipo de guitarra española pequeña, originalmente con cuatro cuerdas. Las personas que bailan estas danzas llevan ropa de muchos colores. La música tiene mucho ritmo y las personas ¡mueven todo el cuerpo!

Resumen de la lectura
Disc 7 Track 7

Bomba y plena

La bomba y la plena son danzas de Puerto Rico. Tienen sus orígenes en África. Los instrumentos para tocar esta música son los tambores, las panderetas, las maracas y el cuatro. La música tiene mucho ritmo. Las personas llevan ropa de muchos colores cuando bailan estas danzas.

Más práctica pages 57–58

Disc 7 Track 8

Actividad 1 Emociones y actividades

For whom is each of the following sentences true, Miguel or Marta?

Marta: Miguel, no me gusta hacer todos los días lo mismo. Si estoy triste, quiero estar en casa. Pero si estoy contenta, me gusta pasar un rato con los amigos en el parque o pasar un rato en la plaza. ¿Y tú?

Miguel: A mí me gusta pasar tiempo con los amigos y visitar diferentes lugares. Me gusta ir de compras, a la playa, al gimnasio o al parque. Si estoy triste voy con los amigos a un lugar interesante. Si estoy enojado, corro o practico el tenis un rato y así estoy más tranquilo. ¿Qué haces si estás enojada?

Marta: Si estoy triste, prefiero estar sola. Pero si estoy enojada, necesito hablar con los amigos y la familia. Estoy más tranquila si veo que ellos me comprenden.

Disc 7 Track 9

Actividad 2 El tiempo libre

Listen to the speaker and underline each thing that she says she likes to do.

Narrator: Si tengo tiempo libre, me gusta mucho ir al cine o alquilar un video para ver en casa. No me gusta mucho ver la televisión porque muchos de los programas no son interesantes. Me gusta ver las películas. Me gusta hablar de las películas y los actores con mis amigos y mis hermanos. Mis películas favoritas son de aventura y de ciencia ficción. Si no vamos al cine, me gusta hablar y comer con los amigos o con la familia. No me gusta mucho ir de compras y no practico deportes.

Disc 7 Track 10

Actividad 3 Pasar el rato

Use the word box to complete the paragraph you hear.

Narrator: A mí me gusta ir al cine y también ver la televisión. Está bien mirar televisión con la familia y con los amigos si los programas son cómicos, pero no me gusta ver programas tristes. Me gusta ver y practicar deportes, sobre todo el béisbol. Practico el béisbol casi todos los días, y voy al estadio para ver deportes profesionales. En el estadio siempre estoy muy emocionado. Me gusta ir a la escuela también. Los otros estudiantes son simpáticos y los profesores son interesantes. La única clase que no me gusta es educación física, porque nunca practicamos el béisbol.

Disc 7 Track 11

Actividad 4 Un día típico

Listen to the speaker and say when she is or feels each of the following.

Narrator: En un día típico tengo que hacer muchas cosas. En la escuela estoy muy ocupada con mis clases. Después de las clases normalmente estoy cansada, entonces descanso. Luego, hago ejercicio o camino con mi perro y después estoy más alegre. Si tengo mucha tarea, estoy deprimida porque no tengo tiempo para ver la televisión ni hablar con mi familia. Si tengo un examen, estoy nerviosa. Pero si estudio un rato y termino la tarea, estoy tranquila. Estoy tranquila porque estoy preparada para el examen. Los fines de semana son diferentes. Los fines de semana estoy contenta porque tengo tiempo libre.

Disc 7 Track 12

Actividad 5 ¿De dónde vienen?

The members of the student council have just arrived for the council meeting. Listen as they say where they have been and what they have been doing. Then fill out the chart with the correct information.

Carmen: Hola, Billy. Bienvenido.

Billy: Hola, Carmen. ¿Qué tal? Vengo del gimnasio. Acabo de practicar voleibol con mis amigos.

Carmen: Hola, Ramona.

Ramona: Hola, panas. ¿Qué tal? Vengo del estadio. Acabo de ver fútbol profesional.

Carmen: Hola, Miguel. Buenas tardes.

Miguel: Buenas tardes, Carmen, Billy, Ramona. ¿Cómo están? Vengo del cine. Acabo de ver una película romántica y triste.

Carmen: Buenas tardes, Leonor.

Leonor: Buenas tardes, chicos. Vengo de la tienda de mis padres. Acabo de vender una novela al maestro de matemáticas.

Disc 7 Track 13

Actividad 6 Por teléfono

Listen as two people discuss what they like to do. Then imagine that you want to call one of them to invite him somewhere. Base your invitation on what the person says he likes to do. Write your conversation on the lines provided.

Dionisio: Hola.

Efraín: Hola, Dionisio. Habla Efraín. ¿Cómo estás?

Dionisio: ¡Hombre, Efraín! ¡Que gusto hablarte! ¿Dónde estás?

Efraín: Ahora estoy en casa. Acabo de ver fútbol. Vengo del estadio.

Dionisio: A ti te gusta mucho ir al estadio a ver los deportes. A mí, no. A mí me gusta estar en casa con la familia y el perro. En el estadio hay mucha gente. No me gusta.

Efraín: Es que eres perezoso. Sólo te gusta estar en casa. Yo soy diferente. Yo necesito acción.

Para hispanohablantes page 57

Disc 7 Track 14

Los diptongos con acento y diptongos separados

Cuando un diptongo lleva el golpe, pero rompe las reglas de acentuación, la vocal fuerte (a, e, o) lleva un acento y toda la sílaba del diptongo se pronuncia con más énfasis.

Escucha las siguientes palabras. ¿Recuerdas qué regla de acentuación rompen?

información

dieciséis

después

periódico

béisbol

escucháis

Si la vocal débil de una combinación de vocales recibe el golpe, siempre lleva un acento escrito y el diptongo se divide en dos sílabas. (Recuerda que la combinación de dos vocales fuertes también se divide en dos sílabas.)

Escucha las siguientes palabras en las que el acento escrito rompe el diptongo.

día

gustaría

raíz

plantío

frío

Disc 7 Track 15

Actividad 1 Acento escrito A

Subraya los diptongos en las siguientes palabras. Luego, escúchalas. Identifica la sílaba que lleva el golpe. Si necesita acento escrito, escríbelo. Puedes dividir las palabras en sílabas.

1. huérfano
2. cuidado
3. confluencia
4. criollos
5. miércoles

Disc 7 Track 16

Actividad 2 Acento escrito B

Escucha las siguientes palabras con diptongos intactos y diptongos separados. Luego, escribe acentos sobre las palabras que los necesitan. Puedes dividirlas en sílabas.

1. guía
2. maíz
3. voleibol
4. cobardía
5. librería
6. imitación
7. precioso
8. camión
9. patriótico
10. anarquía

Etapa Exam Forms A & B pages 35 and 40

Disc 19 Track 16

A Listen to the following phone conversation. Then read the statements below and decide if they are **cierto** (true) or **falso** (false). **Strategy: Remember to listen not just for the details, but also for the overall content of a conversation. Who does or did what in the conversation?**

Examen para hispanohablantes page 45

Disc 19 Track 16

A Escucha esta conversación telefónica y contesta las preguntas a continuación con oraciones completas.

Sra. Martínez: Hola.

Cati: Buenas tardes, señora Martínez. Soy Cati. ¿Puedo hablar con Sara?

Sra. Martínez: Sí, Cati. Un momento, por favor.

Sara: Hola, Cati. ¿Qué tal?

Cati: Estoy cansada. Vengo de la biblioteca. Acabo de escribir una tarea importante. ¿Y tú?

Sara: Pues, estoy un poco preocupada. Acabo de tomar un examen muy difícil.

Cati: ¡No te preocupes! Vas a sacar una buena nota. Oye... ¿Te gustaría ir al cine conmigo a las seis?

Sara: ¡Claro que sí! Me encantaría.

Cati: Perfecto. Estoy muy contenta. La película que vamos a ver es buena. A mi hermana mayor le gusta mucho.

Sara: A las seis, entonces.

Cati: A las seis. Adiós.

COOPERATIVE QUIZZES

Expressing Feelings with *estar* and Adjectives

Answer the following questions using the verb **estar** and the adjective given in parentheses. Make sure your adjective agrees in gender and number with your subject.

1. ¿Cómo está Laura? [contento(a)]

____

2. ¿Cómo estás tú, Ofelia? (alegre)

____

3. ¿Cómo están los muchachos? [tranquilo(a)]

____

4. ¿Cómo está Carmela? [enfermo(a)]

____

5. ¿Cómo están ustedes? [ocupado(a)]

____

Saying What Just Happened with *acabar de* + infinitive

Tell what just happened using the information in parentheses. Remember that the verb **acabar** is conjugated in the present and that your second verb is in the infinitive form.

1. ¿Por qué llevan shorts y camisetas los estudiantes? (practicar deportes)

____

2. ¿Por qué tiene su libro de español Julián? (estudiar para una prueba)

____

3. ¿Por qué no comen pizza María y Teresa? (comer con sus amigas)

____

4. ¿Por qué tiene tiza en las manos el profesor? (escribir en el pizarrón)

____

5. ¿Por qué estás cansado(a)? (tomar esta prueba)

____

Nombre ______________________ Clase ______________ Fecha ______________

Saying Where You Are Coming From with *venir*

Tell where the following persons are coming from, using the verb **venir** + the preposition **de**. Use the information in parentheses in your answers, and remember that **del** is the contraction for **de + el**.

1. ¿De dónde viene Antonio? (el concierto)

____

2. ¿De dónde vienen Martín y Alfonso? (la tienda de videos)

____

3. ¿De dónde vienen las muchachas? (la cafetería)

____

4. ¿De dónde vienes tú? (el parque)

____

5. ¿De dónde vienen ustedes? (la biblioteca)

____

QUIZ 4

Saying What Someone Likes to Do Using *gustar* + infinitive

Tell what the following persons like to do, using the construction **gustar** + infinitive. Include the information in parentheses in your answers.

1. ¿Qué les gusta hacer a ustedes? (practicar deportes)

____

2. ¿Qué le gusta hacer a Yolanda? (escribir cartas)

____

3. ¿Qué nos gusta hacer a ti y a mí? (ver películas)

____

4. ¿Qué le gusta hacer a tu profesor? (enseñar la clase)

____

5. ¿Qué les gusta hacer a ellos? (ir de compras)

____

Nombre ______________________ Clase ______________ Fecha ______________

Test-taking Strategy: Don't be afraid to guess. If you are having trouble with a question, make an educated guess. Any answer is better than no answer.

ESCUCHAR

Tape 19 • SIDE B
CD 19 • TRACK 16

A. Listen to the following phone conversation. Then read the statements below and decide if they are **cierto** (true) or **falso** (false). **Strategy: Remember to listen not just for the details, but also for the overall content of a conversation. Who does or did what in the conversation?** (10 points)

1. Cati contesta el teléfono.

a. cierto

b. falso

2. Cati acaba de hacer su tarea en la biblioteca.

a. cierto

b. falso

3. Sara está cansada porque acaba de tomar un examen.

a. cierto

b. falso

4. Cati está contenta porque Sara va al cine con ella.

a. cierto

b. falso

5. A Cati le gusta mucho la película.

a. cierto

b. falso

Nombre ____________________ Clase ____________ Fecha ____________

LECTURA Y CULTURA

Read Susana's letter to David. Then complete Activities B and C. **Strategy: Remember to focus on the words you already know as you read. They will help you understand the ones you can't remember.**

David,

¿Cómo estás hoy? Yo estoy muy emocionada. Mi hermano y yo acabamos de comprar unas entradas para el concierto de bomba y plena en el auditorio principal. A nosotros nos gusta mucho escuchar esta clase de música y ver a las personas que bailan.

Oye, tengo una entrada extra porque mi hermana está enferma y no va. ¿Quieres acompañarnos al concierto? A ti te gusta escuchar esta clase de música, ¿verdad? El concierto es el viernes a las ocho y media pero tenemos que llegar un poco temprano, a las ocho. Yo te llamo más tarde.

Susana

B. ¿Comprendiste? Read the statements, then circle the correct ending. (10 points)

1. Susana y su hermano van al concierto de bomba y plena, por eso Susana está...

a. muy cansada. **b.** temprano. **c.** enferma. **d.** muy emocionada.

2. En un concierto de bomba y plena...

a. oyes música. **b.** cantas. **c.** tocas un instrumento. **d.** *a* y *b*

3. A David, a Susana y a su hermano les gusta...

a. cantar. **b.** bailar. **c.** escuchar música. **d.** *a* y *b*

4. Los muchachos necesitan llegar al auditorio principal...

a. a las ocho y media. **b.** temprano. **c.** el sábado. **d.** más tarde.

5. La hermana de Susana no va porque está...

a. ocupada. **b.** enferma. **c.** cansada. **d.** preocupada.

C. ¿Qué piensas? Answer these questions based on what you read. (10 points)

1. Susana y su hermano van a un concierto. ¿Qué clase de concierto es? ____________

____

____

2. ¿Por qué invita Susana a David a ir al concierto? ____________

____

____

VOCABULARIO Y GRAMÁTICA

D. Celia is explaining to her little brother how to make a phone call. Complete her explanation. **Strategy: Remember to think logically. What are the steps you follow? Which links are missing?** (10 points)

Para hacer una **1.** ______________, buscas el **2.** ______________ en la guía **3.** ______________. Después, **4.** ______________ el número. Si la **5.** ______________ contesta, vas a oír: «Deje un **6.** ______________ después del **7.** ______________.»

Si tu amigo no **8.** ______________, dile a la persona que contesta: **9.** «¿______________ hablar con mi amigo Juan?» Si la persona no está, dejas el mensaje **10.** «______________ que me llame.»

E. Complete these sentences telling what people like to do in their free time. (10 points)

1. A mí ______________ practicar deportes.
2. A mi amigo y a mí ______________ alquilar videos.
3. A mi profesora ______________ ir a los museos.
4. A ti ______________ bailar.
5. A ustedes ______________ ir de compras.
6. A ellos ______________ pintar.
7. A mí ______________ cantar.
8. A nosotros ______________ nadar.
9. A mamá ______________ caminar en el parque.
10. A ti ______________ andar en bicicleta.

Nombre ______ Clase ______ Fecha ______

F. Tell how each person pictured below feels, based on the expression on his or her face. Write complete sentences. (10 points)

1. yo
______
______

2. las muchachas
______
______

3. la señora Martínez
______
______

4. tú
______
______

5. nosotros
______
______

G. You and your friends are meeting for supper after a very busy day. Tell each other where you're coming from and what you've just done. (10 points)

1. yo: gimnasio / practicar deportes
______

2. tú: cine / ver una película
______

3. ustedes: auditorio / ir a un concierto
______

4. Elsa: tienda / alquilar un video
______

5. Dolores y yo: parque / andar en bicicleta
______

ESCRITURA

H. Everybody wants to tell you about his or her weekend. On a separate sheet of paper, write a journal entry about what your friends tell you.

- Say whom you are writing about.
- Tell how everyone feels.
- Tell where they are coming from and what they've just done.

Strategy: Remember to use a table like the one below to help you organize your ideas. (15 points)

Nombre del amigo	¿Cómo está?	¿De dónde viene?	¿Qué acaba de hacer?
1.			
2.			
3.			

Writing Criteria	Scale	Writing Criteria	Scale	Writing Criteria	Scale
Vocabulary Usage	1 2 3 4 5	Accuracy	1 2 3 4 5	Organization	1 2 3 4 5

HABLAR

I. Role-play the following situations with your teacher. **Strategy: Remember to imitate the intonations and expressions you've heard your teacher and others use in different situations.** (15 points)

1. Invitas a un(a) amigo(a) a ir al cine contigo.
2. Aceptas la invitación de un(a) amigo(a).
3. Llamas a tu amigo(a) por teléfono, pero otra persona contesta en su casa.
4. Tu amigo(a) no está en casa y tienes que dejar un mensaje.
5. Tu amigo(a) y tú van a alquilar un video. ¿Qué video van a ver?

Speaking Criteria	Scale	Speaking Criteria	Scale	Speaking Criteria	Scale
Vocabulary Usage	1 2 3 4 5	Accuracy	1 2 3 4 5	Organization	1 2 3 4 5

Nombre ______________ Clase ______________ Fecha ______________

Test-taking Strategy: Don't be afraid to guess. If you are having trouble with a question, make an educated guess. Any answer is better than no answer.

ESCUCHAR

Tape 19 • SIDE B
CD 19 • TRACK 16

A. Listen to the following phone conversation. Then read the statements below and decide if they are **cierto** (true) or **falso** (false). **Strategy: Remember to listen not just for the details, but also for the overall content of a conversation. Who does or did what in the conversation?** (10 points)

1. Sara contesta el teléfono.

a. cierto

b. falso

2. Sara está cansada porque acaba de tomar un examen.

a. cierto

b. falso

3. Cati acaba de hacer su tarea en la biblioteca.

a. cierto

b. falso

4. A Cati le gusta mucho la película.

a. cierto

b. falso

5. Cati está contenta porque Sara va al cine con ella.

a. cierto

b. falso

LECTURA Y CULTURA

Read Guillermo's letter to Alicia. Then complete Activities B and C. **Strategy: Remember to focus on the words you already know as you read. They will help you understand the ones you can't remember.**

Alicia,

¿Qué tal? Yo estoy muy emocionado. Mi hermana y yo acabamos de comprar unas entradas en el auditorio principal para el concierto de bomba y plena. A nosotros nos gusta mucho escuchar esta clase de música y ver a las personas que bailan.

Oye, tengo una entrada extra porque mi hermano está enfermo y no va. ¿Quieres acompañarnos al concierto? A ti te gusta escuchar esta clase de música, ¿verdad? El concierto es el viernes a las ocho y media pero tenemos que llegar un poco temprano, a las ocho. Te hablo más tarde.

Guillermo

B. ¿Comprendiste? Read the statements, then circle the correct ending. (10 points)

1. Guillermo y su hermana van al concierto de bomba y plena, por eso Guillermo está...

a. muy cansado. **b.** temprano. **c.** enfermo. **d.** emocionado.

2. En un concierto de bomba y plena...

a. tocas un instrumento. **b.** oyes música. **c.** bailas. **d.** *a* y *b*

3. A Alicia, a Guillermo y a su hermana les gusta...

a. bailar. **b.** escuchar música. **c.** cantar. **d.** *a* y *b*

4. Los muchachos necesitan llegar al concierto...

a. a las siete y media. **b.** el sábado. **c.** temprano. **d.** más tarde.

5. El hermano de Guillermo no va porque está...

a. enfermo. **b.** cansado. **c.** ocupado. **d.** preocupado.

C. ¿Qué piensas? Answer these questions based on what you read. (10 points)

1. Guillermo y su hermana van a un concierto. ¿Qué clase de concierto es? _______________

____

____

2. ¿Por qué invita Guillermo a Alicia a ir al concierto? _______________

____

____

Nombre ______________________ Clase ______________ Fecha ______________

VOCABULARIO Y GRAMÁTICA

D. Celia is explaining to her little brother how to make a phone call. Complete her explanation. **Strategy: Remember to think logically. What are the steps you follow? Which links are missing?** (10 points)

Para hacer una **1.** ______________, buscas el **2.** ______________ en la guía **3.** ______________. Después, **4.** ______________ el número. Si la **5.** ______________ contesta, vas a oír: «Deje un **6.** ______________ después del **7.** ______________.» Si tu amigo no **8.** ______________, dile a la persona que contesta: **9.** «¿______________ hablar con mi amigo Juan?» Si la persona que buscas no está, dejas el mensaje **10.** «______________ que me llame.»

E. Complete these sentences telling what people like to do in their free time. (10 points)

1. A ti ______________________________ bailar.

2. A mi profesora ______________________________ ir a los museos.

3. A mí ______________________________ practicar deportes.

4. A ustedes ______________________________ ir de compras.

5. A mi amigo y a mí ______________________________ alquilar videos.

6. A ti ______________________________ andar en bicicleta.

7. A mamá ______________________________ caminar en el parque.

8. A nosotros ______________________________ nadar.

9. A mí ______________________________ cantar.

10. A ellos ______________________________ pintar.

F. Tell how each person pictured below feels, based on the expression on his or her face. Write complete sentences. (10 points)

1. nosotros

2. yo

3. las muchachas

4. la señora Martínez

5. tú

G. You and your friends are meeting for supper after a very busy day. Tell each other where you're coming from and what you've just done. (10 points)

1. ustedes: auditorio / ir a un concierto

2. Dolores y yo: parque / andar en bicicleta

3. Elsa: tienda / alquilar un video

4. yo: gimnasio / practicar deportes

5. tú: cine / ver una película

Nombre ______ Clase ______ Fecha ______

ESCRITURA

H. Everybody wants to tell you about his or her weekend. On a separate sheet of paper, write a journal entry about what your friends tell you.

- Say whom you are writing about.
- Tell how everyone feels.
- Tell where they are coming from and what they've just done.

Strategy: Remember to use a table like the one below to help you organize your ideas. (15 points)

Nombre del amigo	¿Cómo está?	¿De dónde viene?	¿Qué acaba de hacer?
1.			
2.			
3.			

Writing Criteria	Scale
Vocabulary Usage	1 2 3 4 5

Writing Criteria	Scale
Accuracy	1 2 3 4 5

Writing Criteria	Scale
Organization	1 2 3 4 5

HABLAR

I. Role-play the following situations with your teacher. **Strategy: Remember to imitate the intonations and expressions you've heard your teacher and others use in different situations.** (15 points)

1. Invitas a un(a) amigo(a) a ir al cine contigo.
2. Aceptas la invitación de un(a) amigo(a).
3. Llamas tu amigo(a) por teléfono, pero otra persona contesta en su casa.
4. Tu amigo(a) no está en casa y dejas un mensaje.
5. Tu amigo(a) y tú van a alquilar un video. ¿Qué video van a ver?

Speaking Criteria	Scale
Vocabulary Usage	1 2 3 4 5

Speaking Criteria	Scale
Accuracy	1 2 3 4 5

Speaking Criteria	Scale
Organization	1 2 3 4 5

Test-taking Strategy: Don't be afraid to guess. If you are having trouble with a question, make an educated guess. Any answer is better than no answer.

ESCUCHAR

Tape 19 • SIDE B
CD 19 • TRACK 16

A. Escucha esta conversación telefónica y contesta las preguntas a continuación con oraciones completas. **Strategy: Remember to listen not just for the details, but also for the overall content of a conversation. Who does or did what in the conversation?** (10 puntos)

1. ¿Quién contesta el teléfono?

___

2. ¿Por que está cansada Cati?

___

3. ¿Cómo está Sara? ¿Por qué?

___

4. ¿Por qué llama Cati a Sara?

___

5. ¿Cómo sabe Cati que la película es buena?

___

Nombre ______________________ Clase ______________ Fecha ______________

LECTURA Y CULTURA

Lee la carta que Gonzalo le manda a su amigo Esteban. Después haz las actividades B y C. **Strategy: Remember to focus on the words you already know as you read. They will help you understand the ones you can't remember.**

> Querido Esteban:
>
> ¿Cómo estás? Tu mamá me dice que estás un poco deprimido. Ya no estás enfermo, ¿verdad? ¿Qué pasa? Ya sé lo que vamos a hacer. Te invito a pasar este fin de semana conmigo. Tengo un grupo de amigos que son súper simpáticos. Siempre estoy alegre cuando estoy con ellos. A ellos les gusta hacer muchas cosas también. Les gusta practicar deportes, escuchar música e ir al cine. ¿Por qué no vamos a un concierto con ellos el próximo fin de semana? Acabo de ver un anuncio para un concierto de bomba y plena y precisamente, es el próximo fin de semana. Estoy seguro de que te va a gustar.
>
> Llámame al recibir esta carta. Si no estamos, deja un mensaje en la máquina contestadora.
>
> Tu amigo,
> Gonzalo

B. ¿Comprendiste? Escoge la respuesta correcta. (10 puntos)

1. ¿Cómo está Esteban?
a. enfermo **b.** solo **c.** deprimido **d.** preocupado

2. ¿Qué va a hacer Gonzalo?
a. invitar a Esteban al parque **b.** ir a un concierto
c. hacer algo con su hermana **d.** practicar deportes

3. ¿Cómo está Gonzalo cuando está con sus amigos?
a. muy ocupado **b.** tranquilo **c.** alegre **d.** emocionado

4. ¿Qué es la bomba y plena?
a. un conjunto **b.** un tipo de música
c. un lugar **d.** instrumentos musicales

5. Si puede, ¿cuándo va a ir Esteban a la casa de Gonzalo?
a. el próximo fin de semana **b.** en un mes **c.** en dos semanas **d.** muy pronto

C. ¿Qué piensas? Contesta usando oraciones completas de acuerdo con la información en la lectura. (10 puntos)

1. ¿Por qué le escribe Gonzalo a su amigo? ______________________________

____

____

2. ¿Cómo va a ayudar Gonzalo a Esteban? ______________________________

____

____

VOCABULARIO Y GRAMÁTICA

D. Completa las oraciones siguientes. **Strategy: Remember to think logically. Think about how words fit together and what kinds of questions and statements follow one another.** (10 puntos)

1. —Bueno.

—Hola, ¿Roberto? Soy Antonio.

—No, no. Soy su papá.

—¿________________ hablar con Roberto?

—No está, Antonio, pero ________________ más tarde.

—________________ que me llame, por favor.

2. —Deje un ________________ después del tono.

3. —Oye, Julia. ¿Quieres ________________ al cine mañana?

—Gracias, pero no puedo.

—¡Qué ________________!

—¡No te ________________! ________________ otro día.

4. —Cristobal, ¿te ________________ ir a un concierto conmigo?

—¡________________ que sí!

E. Di de dónde vienen las siguientes personas. (10 puntos)

1. Estela ________________ del parque.

2. Yo ________________ de la cafetería.

3. Tú ________________ del cine.

4. Mis abuelos ________________ de su casa.

5. Nosotros ________________ de la biblioteca.

Nombre ______________________ Clase ______________ Fecha ______________

F. Explica cómo están estas personas y qué acaban de hacer. (10 puntos)

1. tú: pasar un buen rato con los amigos

____

____

2. nosotras: tomar un examen

____

____

3. la señora Martínez: ver al doctor

____

____

4. yo: ver una película triste

____

____

5. Eduardo y Linda: hacer un nuevo trabajo

____

____

G. Explica lo que les gusta hacer a ti y a estas personas durante su tiempo libre. (10 puntos)

1. A mí ____.

2. A mi mejor amigo(a) ______________________________________.

3. A mí y a mi mejor amigo(a) ______________________________.

4. A mis maestros ____.

5. A los estudiantes ____.

ESCRITURA

H. Todo el mundo quiere hablarte de su fin de semana. Escribe en tu diario personal lo que te dicen tus amigos.

- ¿Cómo están ellos?
- ¿De dónde vienen?
- ¿Qué acaban de hacer?

Strategy: Remember to organize what you would like to say before you begin writing. Don't forget the details! (15 puntos)

Nombre del amigo	¿Cómo está?	¿De dónde viene?	¿Qué acaba de hacer?
1.			
2.			
3.			

Writing Criteria	Scale
Vocabulary Usage	1 2 3 4 5

Writing Criteria	Scale
Accuracy	1 2 3 4 5

Writing Criteria	Scale
Organization	1 2 3 4 5

HABLAR

I. Imagina que te encuentras en las siguientes situaciones. **Strategy: Remember to imitate the intonations and expression you've heard your teacher and others use in different situations.** (15 puntos)

1. Explícale a tu hermana menor cómo usar el teléfono y la guía telefónica.
2. Un amigo te invita al cine este jueves, pero ya tienes planes. Explícale que no puedes ir.
3. Habla un poco de las actividades que a tus amigos y a ti les gusta hacer en su tiempo libre.

Speaking Criteria	Scale
Vocabulary Usage	1 2 3 4 5

Speaking Criteria	Scale
Accuracy	1 2 3 4 5

Speaking Criteria	Scale
Organization	1 2 3 4 5

Nombre ______________________ Clase ______________ Fecha ______________

PORTFOLIO ASSESSMENT

Role-Play

Work in a group with 3 or 4 other people. Write a skit about a group of friends talking about how they feel in certain situations. Have group members act out their feelings with facial expressions and body language, as well as mentioning the feelings. Use as much information as you can from what you studied in **Etapa 1**. Be sure to rehearse and use props and costumes as appropriate.

Goal: A videotape or audiotape of your skit, as well as a copy of your script, to be included in your portfolio.

Scoring:

Criteria/Scale 1–4	**(1)**	**Poor**	**(2)**	**Fair**	**(3)**	**Good**	**(4)**	**Excellent**
Creativity	1	Not creative, no props or costumes	2	Some creativity, a few props and costumes	3	Creative, good props, costumes	4	Very creative, great props and costumes
Preparation	1	Not prepared	2	Somewhat prepared	3	Prepared	4	Very well prepared
Vocabulary	1	Inadequate or no use of new vocabulary	2	Some use of new vocabulary	3	Good use of new vocabulary	4	Excellent use of new vocabulary
Fluency	1	Halting, hard to follow	2	Pauses that affect comprehension	3	Some pauses, comprehension not affected	4	Excellent fluency

A = 13–16 pts. B = 10–12 pts. C = 7–9 pts. D = 4–6 pts. F = < 4 pts.

Total Score: ______________________

Comments: ______________________

Nombre ______________________ Clase ______________ Fecha ______________

PORTFOLIO ASSESSMENT

Script of a Telephone Call

Write a telephone script to be used in a play or a movie. The script can include any information that you wish, but be sure to include as much of the phone vocabulary as possible from **Etapa 1**.

Goal: Your written script to be included in your portfolio.

Scoring:

Criteria/Scale 1–4	(1)	Poor	(2)	Fair	(3)	Good	(4)	Excellent
Creativity	1	Not creative	2	Some creativity	3	Creative	4	Very creative
Organization	1	No organization	2	Some organization	3	Organized	4	Very well organized
Grammar Accuracy	1	Errors prevent comprehension	2	Some grammar errors throughout	3	Good use of grammar	4	Excellent use of grammar

A = 10–12 pts. B = 7–9 pts. C = 4–6 pts. D = 2–3 pts. F = < 2 pts.

Total Score: ______________________

Comments: ______________________

Nombre ______________ Clase ______________ Fecha ______________

ESCUCHAR

Tape 8 • SIDE B
CD 8 • TRACKS 6–10

ACTIVIDAD 1 El béisbol

Listen to Coach Palacios talk to the baseball team. Underline the items in the word box that the coach mentions as being important for playing baseball.

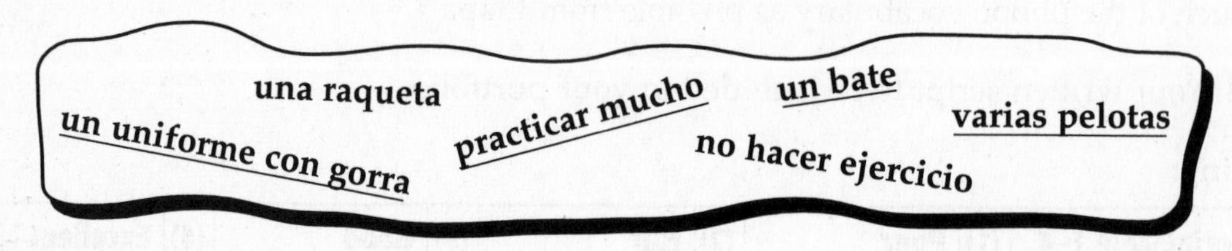

ACTIVIDAD 2 El tenis

Listen to Chela talk about her favorite sport, then complete the paragraph with the words that you hear.

Me llamo Chela, y mi ___deporte___ favorito es el tenis. Para jugar al tenis es una tradición ___llevar___ ropa blanca. Llevamos unos shorts blancos o una falda blanca, una camiseta blanca y calcetines y zapatos blancos. Hay que tener una ___raqueta___ buena y zapatos de tenis buenos. También es importante tener suficientes ___bolas___, porque vas a perder muchas. Si quieres jugar bien ___al tenis___, tienes que practicar mucho.

ACTIVIDAD 3 Un deporte peligroso

Listen to the conversation between Olga and Elena. After you have listened to the conversation, write brief responses to the following questions.

1. ¿Quién quiere empezar a practicar un deporte nuevo? ___Olga___
2. ¿Cuáles son los deportes que Olga ya practica? ___el tenis y el voleibol___
3. ¿Cuáles son los deportes que Elena considera peligrosos? ___el hockey y el surfing___
4. ¿Elena va a ayudar a Olga, sí o no? ___sí___
5. ¿Qué van a hacer las chicas ahora? ___llamar a los chicos e ir con ellos a la playa___

Nombre ____________________ Clase ____________ Fecha ____________

Una tienda de deportes

Look at the drawing of the Universo sporting goods store. As you listen to the store's advertisement, make a check mark beside each item or category of item the announcer specifically mentions as being sold in the store.

- ✓ patines
- ✓ raquetas
- ✓ esquís
- ✓ bates
- ___ camisetas
- ✓ cascos
- ___ zapatos de tenis
- ✓ bolas de fútbol
- ___ gorras

5 Un debate

Lucy and her brother Rey disagree about which sports are most interesting. Listen to their conversation, and then answer the following questions.

1. ¿A Lucy le gusta ver fútbol en la televisión? ¿Por qué sí o por qué no?

No le gusta ver fútbol en la televisión, porque es aburrido.

2. ¿Qué deportes opina Rey que son aburridos?

el tenis y el golf

3. ¿Qué deportes piensa Lucy que son más interesantes que el fútbol?

el tenis y el golf

4. ¿Qué deportes opina Rey que son más peligrosos que el fútbol?

el fútbol americano y el hockey

VOCABULARIO

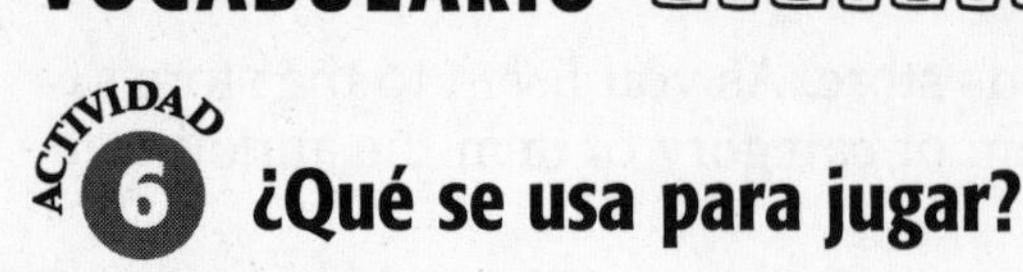

Actividad 6 ¿Qué se usa para jugar?

Underline the word that best fits the sentence.

1. Para jugar al béisbol, necesitas (una raqueta/un bate).
2. Para jugar al fútbol americano, hay que usar (un casco/una gorra).
3. Practican el baloncesto, el voleibol y el tenis en (una cancha/un campo).
4. Es peligroso andar en patineta si no usas (un casco/una bola).
5. (La raqueta/El guante) es una cosa esencial para el béisbol.
6. Juegan al hockey (sobre hielo/en una piscina).

Actividad 7 Cosas necesarias

What sports do you need these items for?

1. un casco andar en patineta/el fútbol americano/el hockey/patinar/el béisbol
2. una raqueta el tenis
3. una pelota el béisbol
4. un guante el béisbol
5. una bola el baloncesto/el voleibol/el fútbol americano/el fútbol/el tenis
6. un bate el béisbol

Actividad 8 ¿Dónde está el partido?

Fill in the blanks in the sports competition schedule.

Hora	Deporte	Lugar
10:00 A.M.	nadar	la piscina
11:00 A.M.	fútbol	campo de fútbol
12:30 P.M.	baloncesto	la cancha/el gimnasio
2:00 P.M.	Answers will vary.	al aire libre
2:30 P.M.	tenis	la cancha
3:00 P.M.	Answers will vary.	el gimnasio

Nombre ______________________ Clase ______________ Fecha ______________

¿Qué piensas?

Pick the word from the word box that best completes the sentence. Each word will be used only once.

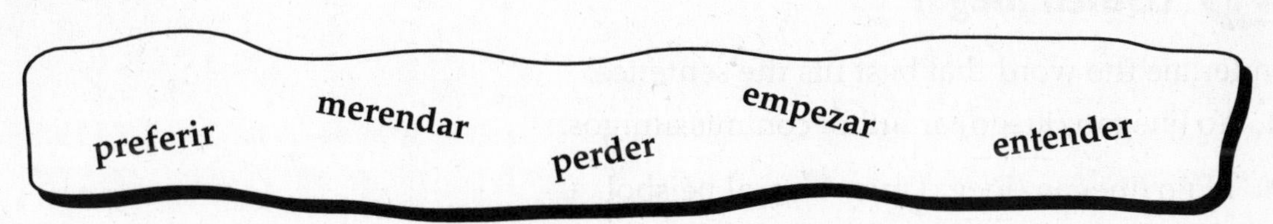

1. No quiero ir a ver el partido de fútbol americano. Es un deporte muy complicado y sé que no lo voy a **entender**.
2. El partido va a **empezar** a las dos y media.
3. Son las tres y media y tengo hambre. Quiero **merendar**.
4. ¿Quieres una hamburguesa o vas a **preferir** otra cosa?
5. ¡Qué lástima! Nuestro equipo va a **perder** el partido.

10 Mis deportes favoritos

Write about two sports that you like, or about one you like and one you don't like. Tell what you think of them in general, where they are played, what equipment you need to play them, and so on. **Answers will vary.**

____

____

____

____

____

____

____

____

____

____

____

____

____

Nombre ______________________ Clase ______________ Fecha ______________

GRAMÁTICA: THE VERB *jugar*

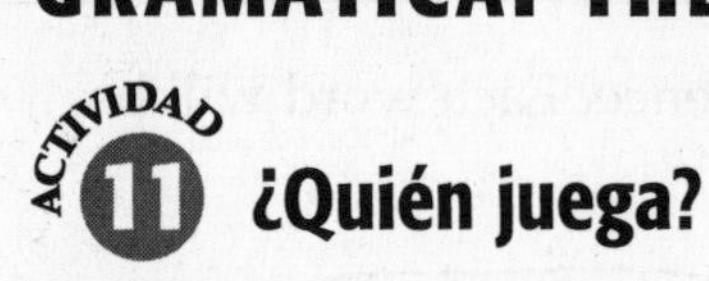

ACTIVIDAD 11 ¿Quién juega?

Underline the word that best fits the sentence.

1. Yo (juegan/juego) al fútbol con mis amigos.
2. Él no (juegan/juega) muy bien al béisbol.
3. ¿Tú (juego/juegas) al tenis?
4. Tina y Raúl (juegan/juegas) con sus hermanos.
5. Miguel y yo (juegan/jugamos) con el perro.

ACTIVIDAD 12 Una encuesta

Fill in the blanks in the questionnaire with the correct forms of the verb **jugar.**

ENCUESTA SOBRE DEPORTES
1. ¿A qué deporte te gusta más **jugar**?
2. ¿A qué deporte **juegan** más tus hermanos(as) o amigos(as)?
3. ¿A qué deporte (tú) **juegas** más con ellos(as)?
4. ¿Dónde **juegan** ustedes?
5. ¿Quién es el o la deportista que más admiras? ¿A qué deporte **juega**?

ACTIVIDAD 13 ¿A qué juegas?

Use complete sentences to answer the questions from the questionnaire in **Actividad 12** above. **Answers will vary. The correct verb forms are given below.**

1. Me gusta jugar más al...
2. Ellos/Ellas juegan al...
3. Con ellos juego al...
4. Jugamos...
5. Admiro... Juega al...

Unidad 3 Etapa 2

CUADERNO Más práctica

Nombre ______________________ Clase ______________ Fecha ______________

GRAMÁTICA: STEM-CHANGING VERBS *e* → *ie*

Nos gusta jugar

Underline the word that best fits the sentence.

1. Carlos juega al tenis, pero yo (prefiere/prefiero/preferimos) el voleibol.
2. María y yo (pienso/piensa/pensamos) jugar al baloncesto hoy.
3. ¿Rafael y tú (queremos/quieren/quieres) acompañarme al gimnasio?
4. Las prácticas de béisbol (empezamos/empiezas/empiezan) el jueves.
5. Si tú no (cierro/cierras/cerramos) tu mochila, vas a perder el guante y la gorra.

ACTIVIDAD 15 ¿Y los amigos? ¿Qué tal?

Complete each sentence with a form of the verb in parentheses.

1. Mario habla todo el día. Nunca (cerrar) ___cierra___ la boca.
2. Sarita y Susi (entender) ___entienden___ perfectamente el fútbol americano.
3. Julia (pensar) ___piensa___ que el fútbol es más divertido que el béisbol.
4. Mariano nunca (perder) ___pierde___ cuando juega al tenis.
5. Todos nosotros (querer) ___queremos___ jugar este sábado en el parque.

Una tarde en el estadio

Draw a picture that illustrates the following paragraph. **Answers will vary.**

Juan Antonio y Nora van a ver el partido de béisbol en el estadio. El partido empieza a las dos y media. Ellos meriendan en el estadio. Su equipo gana el partido y están muy emocionados. Después del partido quieren comprar algo en la tienda de recuerdos, pero ellos llegan a la tienda a las cinco y la tienda cierra a las cuatro y media.

Unidad 3 Etapa 2 CUADERNO Más práctica

Nombre ______________________ Clase ______________ Fecha ______________

GRAMÁTICA: THE VERB *saber*

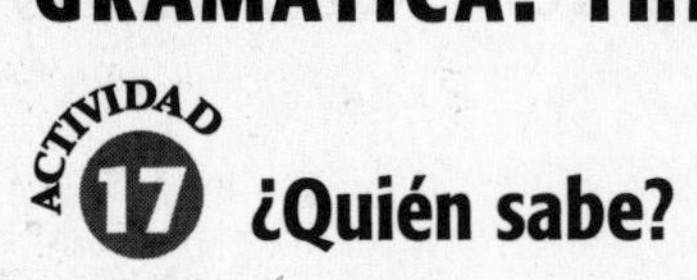

ACTIVIDAD 17 ¿Quién sabe?

Underline the form of **saber** that best fits the sentence.

Julio: ¿Ustedes (sabes/saben) dónde vamos a jugar?

Olga: Yo no (sé/sabes). ¿Tú (sabes/saben), Maricela?

Maricela: No. Yo no lo (sé/sabes). Vamos a preguntarle a Marco Aurelio. Él (sabe/sé).

Olga: Oye, Marco Aurelio, ¿(sé/sabes) dónde vamos a jugar?

Marco Aurelio: Sí, lo (sé/sabes). Vamos a jugar en el campo de la escuela femenina.

Gunther: Hola, panas. ¿Qué tal? ¿Ustedes (sabemos/saben) dónde vamos a jugar?

Olga: Sí, ahora nosotros (sabemos/saben). Marco Aurelio acaba de decirnos.

ACTIVIDAD 18 ¿Qué sabe?

Complete the sentences with the correct form of the verb **saber**.

1. Mi amigo Answers will vary after the verb form. sabe... .
2. Yo sé... .
3. ¿Ustedes saben... ?
4. Nosotros sabemos... .
5. ¿Tú sabes... ?

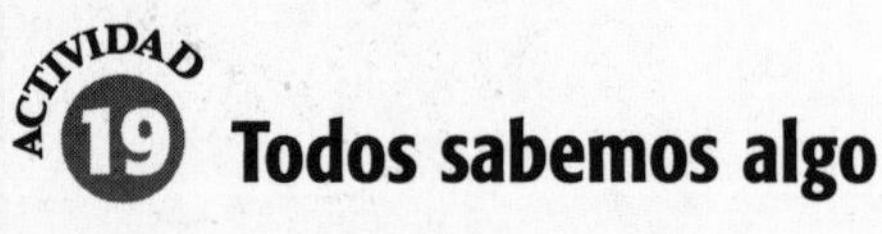

ACTIVIDAD 19 Todos sabemos algo

Write a paragraph in which you say what some people in your life know or know how to do. Use five forms of the verb **saber**.

____

____

____

____

____

Unidad 3 Etapa 2

CUADERNO Más práctica

Nombre ______________________ Clase ______________ Fecha ______________

GRAMÁTICA: MAKING COMPARISONS

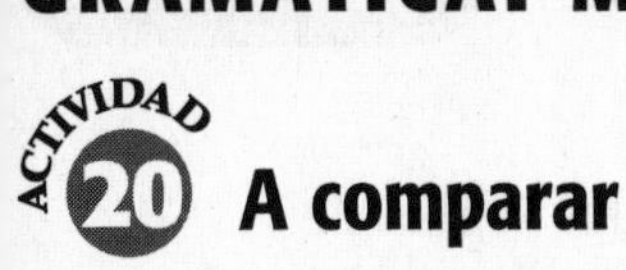

A comparar

Underline the word that best fits the sentence.

1. En el estadio hay más (como/que/de) cincuenta partidos al año.
2. En Puerto Rico, nos gusta practicar el béisbol más (como/que/de) el fútbol.
3. En mi equipo hay (menos/como/que) personas que en tu equipo.
4. A Esteban le gusta nadar tanto (como/que/de) correr.
5. Practico (tanto/tantos/tanta) como Gloria, pero ella juega (mayor/menor/mejor) que yo.

ACTIVIDAD 21 Es lógico

Write comparative sentences based on the information given.

modelo: Raquel tiene dos bates. Jorge tiene dos bates.
Raquel tiene tantos bates como Jorge.

1. Nuestro equipo gana dos partidos. El otro equipo gana tres partidos.
   Nuestro equipo gana menos partidos que el otro equipo./El otro equipo gana más partidos que nuestro equipo.
2. Tengo 18 años. Silvia tiene 17 años.
   Soy mayor que Silvia. Silvia es menor que yo.
3. Mi bate es nuevo. El bate de Roberto no es nuevo.
   Mi bate es más nuevo que el bate de Roberto./El bate de Roberto es más viejo que mi bate.
4. Francisco es muy rápido. Tito también es muy rápido.
   Francisco es tan rápido como Tito.
5. Mi equipo juega tres partidos esta semana. Tu equipo juega cinco partidos esta semana. Mi equipo juega dos partidos menos que tu equipo./Tu equipo juega dos partidos más que mi equipo.
6. El fútbol es muy popular en Latinoamérica . El hockey no es muy popular.
   El fútbol es más popular que el hockey./El hockey no es tan popular como el fútbol./El hockey es menos popular que el fútbol.

Unidad 3 Etapa 2

CUADERNO Más práctica

Nombre ______________________ Clase ______________ Fecha ______________

ESCUCHAR

Tape 8 • SIDE B
CD 8 • TRACKS 11–13

Los acentos escritos y las palabras interrogativas

Has aprendido a usar el acento escrito con palabras que rompen las reglas de acentuación. El acento escrito también se usa para marcar palabras interrogativas y para distinguir palabras que se escriben exactamente igual.

Palabras interrogativas		
¿cómo?	¿cuál(es)?	¿cuánto(a)?
¿dónde?	¿cuántos(as)?	¿adónde?
¿cuándo?	¿de dónde?	¿por qué?
¿qué?	¿quién(es)?	

Palabras parecidas	
el (*the*)	él (*he*)
mi (*my*)	mí (*me*)
si (*if*)	sí (*yes*)
solo (*alone*)	sólo (*only*)
te (*you*)	té (*tea*)
tu (*your*)	tú (*you*)

ACTIVIDAD 1 Acento escrito, ¿sí o no?

Escucha el siguiente mensaje electrónico. Entonces subraya las palabras entre paréntesis que mejor completan el mensaje.

Hola, pana, ¿(como/cómo) estás? ¿(Que/Qué) haces estos días? Hace un año que no vienes a San Juan. ¿(Cuando/Cuándo) me vas a visitar? (Mi/Mí) padre tiene que ir a Ponce a pasar unos días. (Como/Cómo) tiene que regresar para la semana que viene, ¡tenemos una gran oportunidad! (Si/Sí) a (tu/tú) madre no le importa, (tu/tú) puedes regresar con (el/él) a San Juan a pasar unos días con nosotros. También puedes volver a Ponce con mi padre. A (mi/mí) me gusta mucho la idea. ¿Qué opinas tú? (Solo/Sólo) vamos a tener unos días, pero podemos hacer muchas cosas.

¿(Porque/Por qué) no le preguntas a (tu/tú) mamá si puedes venir? Espero que (si/sí).

ACTIVIDAD 2 Escucha, repite, escribe

Escucha y repite las siguientes oraciones y preguntas. Escucha otra vez y completa cada una con las palabras que faltan. ¡Ojo! Algunas palabras que faltan se escriben con ñ y otras llevan acento.

1. ¿ Quién viene con él mañana ?
2. El beisbolista vive en las montañas .
3. Diana juega peor que Roberto.
4. ¿ Cuándo empieza el partido en el estadio?

LECTURA

Antes de leer

¿Cuál es tu deporte favorito? Al lado, apunta algunas cosas que necesitas para jugar al deporte. Answers will vary.

deporte ______________ **equipo** ______________

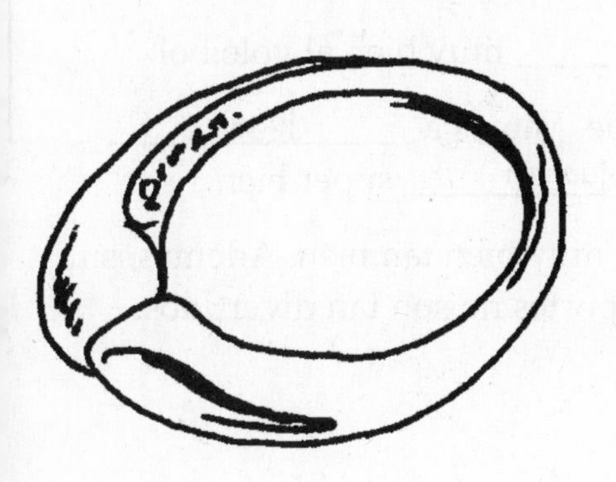

el cinturón ceremonial

Un deporte borinqueño: El batey

Los taínos eran un grupo de indios precolombinos que vivían en el Caribe, especialmente en Borinquen o Puerto Rico. Ellos jugaban un juego de pelota religioso llamado batey. Este juego se parece a juegos de pelota que jugaban los mayas y al *lacrosse* que jugaban los indígenas de Norteamérica.

Dos equipos de veinticuatro **guarabaras** o guerreros jugaban al batey. Un equipo entraba al campo ceremonial por el este y el otro por el oeste. Muchas veces jugaban padres contra hijos. Los jugadores no podían tocar la pelota con las manos. Para pegarle a la pelota usaban un cinturón de piedra o madera que se llama **yuque**.

¿Comprendiste?

Empareja cada frase de la Columna A con la frase correspondiente de la Columna B.

Columna A

c 1. El batey

e 2. Los mayas y otros indígenas

d 3. Cada equipo de batey

a 4. Para jugar al batey, los guerreros

b 5. En batey se prohibe

Columna B

a. llevan un yuque.

b. tocar la pelota con las manos.

c. es un juego de pelota precolombino.

d. tiene veinticuatro jugadores.

e. jugaban juegos de pelota parecidos al batey.

GRAMÁTICA: *jugar*

Actividad 5 ¿Quieres jugar?

Completa la conversación con la forma correcta del verbo **jugar**.

Ana: ¿Qué haces esta tarde?

Yolanda: Juego al tenis con Jorge. ¿Quieres jugar con nosotros?

Ana: No, no puedo. Esta tarde Nancy y yo jugamos al voleibol en la playa.

Yolanda: ¡Qué divertido! Y Nancy juega muy bien al voleibol.

Ana: ¡No! No tienes razón. Va a ser horrible. Vamos a jugar contra Consuelo y Silvia y ellas juegan súper bien.

Yolanda: Tranquila, Ana. Tú juegas muy bien también. Además, sin un buen nivel de competencia, los deportes no son tan divertidos.

Actividad 6 ¿A qué juegan?

Basándote en las cosas que tienen, explica a qué deporte juegan las siguientes personas.

Ana

1. tú

2. Brenda y tú

3. Carmen y yo

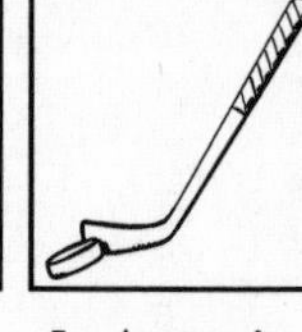
4. Antonio y Esteban

5. yo

6. usted

modelo: Ana juega al voleibol.

1. Tú juegas al fútbol americano.
2. Brenda y tú juegan al tenis.
3. Carmen y yo jugamos al baloncesto.
4. Antonio y Esteban juegan al hockey.
5. Yo juego al béisbol.
6. Usted juega al fútbol.

GRAMÁTICA: LOS VERBOS CON RAÍCES *e* → *ie*

¿Qué piensan hacer?

Explica qué piensan hacer las siguientes personas.

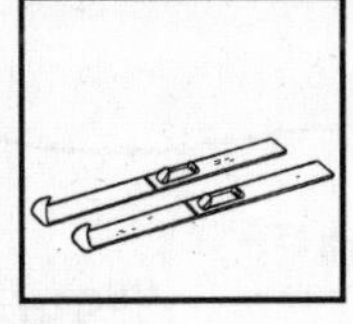

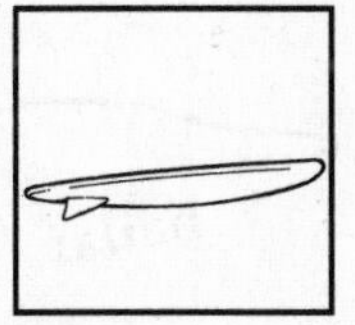

Carolina **1.** ustedes **2.** Nora y Geraldo **3.** tú **4.** Patricia y yo **5.** yo

modelo: Carolina piensa levantar pesas.

1. Ustedes piensan jugar al tenis.
2. Nora y Geraldo piensan correr.
3. Tú piensas esquiar.
4. Patricia y yo pensamos andar en patineta.
5. Yo pienso hacer surfing.

¿Qué hacen?

Explica qué hacen las siguientes personas. Completa las oraciones con las palabras del banco de palabras. Usa cada palabra una sola vez.

la cafetería
el examen
jugar al béisbol
jugar solo
el partido de tenis
el problema de matemáticas
un sándwich

modelo: Antonio / merendar
Antonio merienda un sándwich.

1. la directora / cerrar
   La directora cierra la cafetería.
2. yo / perder
   Yo pierdo el partido de tenis.
3. mis amigos y yo / querer
   Mis amigos y yo queremos jugar al béisbol.
4. ustedes / empezar
   Ustedes empiezan el examen a las ocho.
5. los estudiantes / entender
   Los estudiantes entienden el problema de matemáticas.

Nombre ______ Clase ______ Fecha ______

GRAMÁTICA: *saber*

¿Qué saben hacer?

Basándote en las oraciones, explica qué saben hacer las siguientes personas.

bailar · tocar la guitarra · esquiar · jugar al fútbol · jugar al tenis

1. Teresa tiene una clase de danza. Ella sabe bailar.
2. Yo tengo una raqueta muy buena y compro muchas bolas. Sé jugar al tenis.
3. Carlos y José practican su música todos los días. Saben tocar la guitarra.
4. Vamos al campo para practicar todos los días. Sabemos jugar al fútbol.
5. Tú vas a las montañas de Colorado en febrero todos los años. Sabes esquiar.

ACTIVIDAD 10 ¿Qué sabes hacer?

Escribe cinco oraciones que explican qué sabes hacer con relación a las siguientes categorías. Answers will vary.

deporte: ______

música: ______

arte: ______

idiomas: ______

comida: ______

Unidad 3 Etapa 2

CUADERNO Para hispanohablantes

Nombre ______________________ Clase ______________ Fecha ______________

GRAMÁTICA: COMPARACIONES

Unas comparaciones

Haz comparaciones usando **más que, menos que** y **tan... como.** Debes usar cada expresión por lo menos una vez. Puedes usar las palabras a continuación.

alto	**bajo**
bonito	**delgado**
feo	

Answers will vary.

____

____

____

____

____

ACTIVIDAD 12

Mi opinión es

Compara los siguientes pares, basándote en tus propios gustos. Haz comparaciones usando **más que, menos que** y **tan... como.** Answers will vary.

1. una novela / una película ______________________
2. el tenis / el baloncesto ______________________
3. el fútbol / el fútbol americano ______________________
4. las matemáticas / la historia ______________________
5. la música jazz / la música pop ______________________

ESCRITURA

ACTIVIDAD 13 Las competencias

¿Sabes qué deportes y competencias son invenciones modernas y cuáles tienen raíces antiguas? Haz una lista de deportes que se pueden clasificar bajo cada una de las dos categorías.

moderno	antiguo
Answers will vary.	

ACTIVIDAD 14 El equipo

Inventa un origen precolombino para tu deporte favorito y escribe un párrafo acerca del mismo. Compara el equipo antiguo con el equipo moderno. Por ejemplo, **Las raquetas modernas no pesan tanto como las raquetas antiguas.**

Nombre Clase Fecha

CULTURA

¿Dónde está la pelota?

¿De qué país crees que son? Haz un círculo alrededor de la letra que corresponde al país de donde crees que es la persona que dice lo escrito abajo.

Pásame la bola, Juan Luis. Vamos a jugar al voleibol.

(**a.**) Puerto Rico **b.** México **c.** España

Juan Alberto González

Juan «Igor» González es de Vega Baja, Puerto Rico, donde de joven jugaba con el equipo de su escuela. Ahora pasa casi todo el año en Texas, donde juega al béisbol con los Texas Rangers. Sus estadísticas son largas, pues «Igor» ha alcanzado muchos jonrones y RBIs durante su carrera. Igor es también conocido como el «rey del RBI» y como un príncipe de su comunidad.

En 1997 recibió el premio *Texas Rangers Roberto Clemente Man of the Year* y también el *Hispanic Heritage Achievement Award* de Fort Worth como agradecimiento por sus contribuciones a la comunidad. Estas contribuciones incluyen la donación de $50.000 hacia la construcción de un campo de béisbol para los jóvenes del sureste de Dallas y una tradición anual de pagar $25.000 por entradas a los partidos de los Rangers para que los jóvenes de Dallas y Fort Worth puedan asistir a los partidos. Por si alguien cree que Juan González no recuerda su Puerto Rico, durante el invierno participa en varias actividades y con organizaciones de caridad en su isla caribeña.

¿Comprendiste?

Basándote en la lectura, contesta las siguientes preguntas.

1. ¿De dónde es Juan Alberto González?

   Vega Baja, Puerto Rico

2. ¿Por qué pasa casi todo el año en Texas?

   Juega al béisbol con los Texas Rangers.

3. ¿Qué otro nombre o apodo tiene Juan González?

   Igor/rey del RBI

4. ¿Qué premios ha recibido que no son del béisbol?

   Texas Rangers, Roberto Clemente Man of the Year y el Hispanic Heritage Achievement Award

5. ¿Qué hace para su comunidad?

   Contribuye dinero para las actividades de los jóvenes de la comunidad.

Nombre ______________________ Clase ______________ Fecha ______________

1 ¿Qué necesito para practicar... ?

Estudiante A

Ask your partner what is needed to play the following sports in your list. Write down his or her answers. Then, answer your partner's questions using the drawings below.

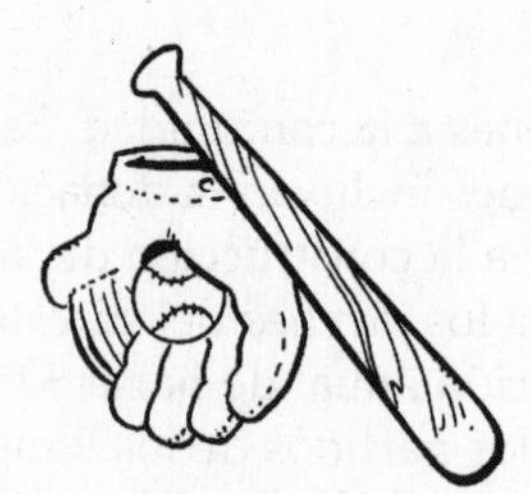

1. ¿Qué necesito para practicar el fútbol americano? ______________________

2. ¿Qué necesito para andar en patineta? ______________________

Estudiante B

Answer your partner's questions about sports equipment using the drawings. Then, ask your partner what is needed to play the following sports in your list. Write down your partner's answers.

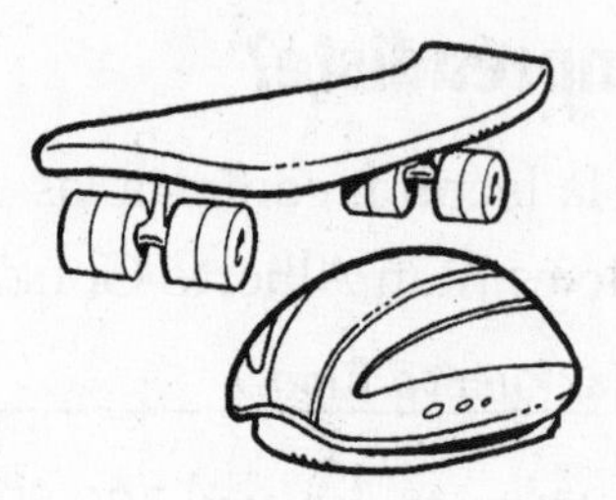

1. ¿Qué necesito para practicar el béisbol? ______________________

2. ¿Qué necesito para practicar el tenis? ______________________

Nombre ______________________ Clase ______________ Fecha ______________

2 ¿A qué juegan todos?

Estudiante A

Ask your partner about what sports the people in your list play and write down your partner's answers. Then, answer his or her questions about the sports the people in your drawings play.

Gloria y Marisela

Pedro y Diego

la señora Rodríguez

mis amigos y yo

1. Isabel y Tomás ______________________

2. Tus primos ______________________

3. Pablo y Ana ______________________

4. Juanito ______________________

Estudiante B

Answer your partner's questions about the sports that the people in your drawings play. Then ask your partner about the sports the people in your list play and write down your partner's answers.

Pablo y Ana

mis primos

Juanito

Isabel y Tomás

1. La señora Rodríguez ______________________

2. Tus amigos y tú ______________________

3. Gloria y Marisela ______________________

4. Pedro y Diego ______________________

Nombre ______________________ Clase ____________ Fecha ____________

3 ¿Qué saben hacer?

Estudiante A

Ask your partner questions about what the people in your list know how to do. Write down your partner's answers. Then answer your partner's questions using the drawings.

Victoria y Alejandra — Juan Luis — Mónica y David — Arturo

1. Simón ______________________.
2. Cristina y Olga ______________________.
3. Isabel y Emilio ______________________.
4. Ricardo ______________________.

Estudiante B

Answer your partner's questions about what the people in the drawings know how to do. Then ask your partner your questions about what the people on your list know how to do. Write down your partner's answers.

Ricardo

Simón

Cristina y Olga

Isabel y Emilio

1. Juan Luis ______________________.
2. Arturo ______________________.
3. Mónica y David ______________________.
4. Victoria y Alejandra ______________________.

Nombre ______________________ Clase ______________ Fecha ______________

4 ¿Qué piensan?

Estudiante A

Ask your partner the following questions about a sports survey that was taken in another Spanish class. Write down your partner's answers.

1. Para esta clase, ¿qué deporte es más fácil, el surfing o el voleibol? ______________

2. Para esta clase, ¿qué deporte es menos peligroso, el béisbol o el fútbol americano? ______________

3. Para esta clase, ¿qué deporte es más interesante, el hockey o el tenis? ______________

4. Para esta clase, ¿qué deporte es más divertido, el voleibol o el fútbol? ______________

5. Para esta clase, ¿qué deporte es más difícil, el tenis o el baloncesto? ______________

6. Para esta clase, ¿qué deporte es menos interesante, el baloncesto o el voleibol? ______________

Estudiante B

Answer your partner's questions about the results of the survey as indicated by the drawings.

más interesante

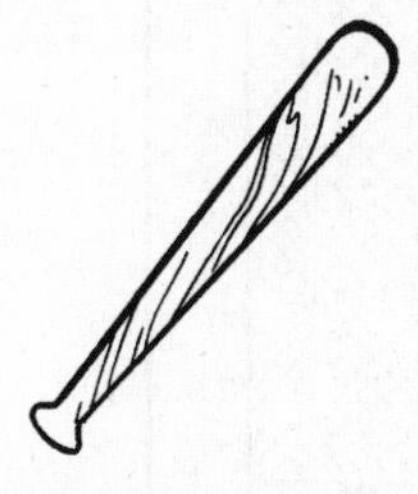

menos peligroso

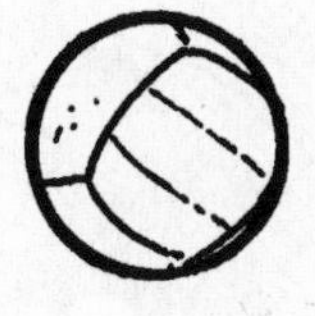

fácil

menos interesante

divertido

difícil

Nombre ____________ Clase ____________ Fecha ____________

LOS DEPORTES

Ask a family member what sport he or she would like to play. Use the drawings below.

- First, explain your assignment.
- Don't forget to model the pronunciation of the words under each image. Point to each word as you say it.
- Then ask the question below.
  ¿A qué deporte quieres jugar?
- After you get the answer, complete the sentence at the bottom of the page.

béisbol

tenis

baloncesto

fútbol

____________ quiere jugar al ____________.

Nombre ______________________ Clase ______________ Fecha ______________

EN LA TIENDA DE DEPORTES

Ask a family member to identify the equipment a person needs to play baseball, football, and tennis. Have him or her label each item of sports equipment with a **B** for *béisbol*, an **F** for *fútbol americano*, or a **T** for *tenis*.

- First, explain your assignment.
- Help him or her pronounce the words correctly by modeling the pronunciation of the words under each image. Point to each phrase as you say it.
- Then, ask the question below.
  ¿Qué necesitas para jugar (al béisbol, al fútbol americano, al tenis)?
- After you get the answer, have the family member label each item of sports equipment with the appropriate letter.

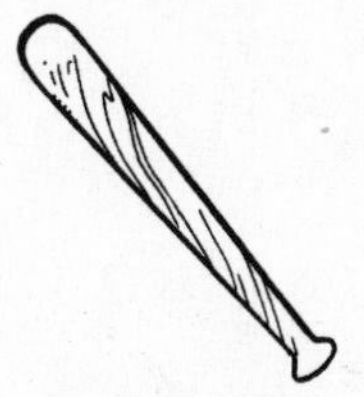

el bate

______

la pelota

______

el casco

______

la gorra

______

el guante

______

la raqueta

______

EN CONTEXTO: VOCABULARIO

Before you watch the **En contexto** section of the video for this **etapa**, read these activities to become familiar with the information you need to look for. Then do the activities.

ACTIVIDAD 1 ¿Cierto o falso?

For each of the following items, circle **C** for **cierto** (true) or **F** for **falso** (false).

C F **1.** A Ignacio y a Diana les gusta visitar una tienda de deportes.

C F **2.** A Ignacio le gusta jugar al béisbol.

C F **3.** Los equipos de fútbol americano practican en una cancha.

C F **4.** El fútbol no es muy popular en Latinoamérica.

C F **5.** Los equipos de fútbol practican en un estadio.

C F **6.** A Ignacio le gusta levantar pesas.

C F **7.** Un deporte popular es patinar.

C F **8.** A Diana le gusta el surfing.

ACTIVIDAD 2 ¿Qué necesitas?

Match the items you need from the right column to play the sport in the left column.

______ **1.** fútbol americano

______ **2.** tenis

______ **3.** patinar

______ **4.** béisbol

a. una pelota o una bola

b. unos patines

c. un casco

d. una raqueta

e. un guante

f. un bate

Nombre _______________ Clase _______________ Fecha _______________

EN VIVO: DIÁLOGO

Before you watch the **En vivo** section of the video for this **etapa**, read these activities to become familiar with the information you need to look for. Then do the activities.

¿Cierto o falso?

For each of the following items, circle **C** for **cierto** (true) or **F** for **falso** (false). Correct the sentences that are false.

C F **1.** Roberto sabe que la práctica empieza a las dos.

____

C F **2.** A Roberto le gusta hablar de deportes.

____

C F **3.** Ignacio le presenta Roberto al señor Peña.

____

C F **4.** Roberto dice que hay mucho fútbol americano en Minneapolis.

____

C F **5.** Roberto quiere jugar en el equipo de fútbol de la escuela.

____

4 Las palabras que faltan

Provide the missing words in the following comparisons that were made in the dialogue.

1. Mucha gente en los Estados Unidos piensa que el fútbol americano es ___________ interesante ___________ el fútbol.

2. Roberto piensa que el tenis es ___________ divertido ___________ el baloncesto.

3. A Ignacio le gusta correr ___________ que nadar.

4. En Minneapolis, el fútbol no es ___________ popular ___________ el fútbol americano.

ACTIVIDAD 5

Por fin llega Roberto

Answer the following questions.

1. ¿Juega Roberto al béisbol en Minneapolis?

____

2. ¿Tiene Ignacio un guante de béisbol?

____

3. ¿Con qué equipo quiere practicar el béisbol Roberto?

____

4. ¿En qué concurso quiere participar Ignacio?

____

5. ¿A quiénes invita Roberto a su casa?

____

ACTIVIDAD 6

¿Quién es?

Identify the person described in each of the following situations.

______________ 1. Esta persona quiere ver el guante y el bate de Ignacio.

______________ 2. A esta persona le gusta correr más que nadar.

______________ 3. Esta persona conoce a Roberto en la práctica.

______________ 4. Esta persona es amiga de Roberto y hermana de Ignacio.

______________ 5. A esta persona le gusta jugar un poco al tenis.

______________ 6. Esta persona quiere participar en un concurso.

En contexto, Pupil's Edition
Level 1 pages 192–193
Middle School pages 220–221

Video Program Videotape 3/Videodisc 2A
10:05

Search Chapter 4, Play to 5
U3E2 • En contexto (Vocabulary)

Ignacio: ¡Me gusta visitar esta tienda de deportes!

Diana: A mí también.

Ignacio: Me gusta jugar al béisbol. Aquí tenemos una pelota. Yo necesito un bate... y un guante.

Diana: Para jugar al tenis, yo necesito una raqueta... unas bolas de tenis y una cancha.

Ignacio: Para jugar al fútbol americano, hay que usar un casco. Los equipos de fútbol americano practican en un estadio.

Diana: En Latinoamérica, el fútbol es muy popular. Los equipos de fútbol practican en un campo.

Ignacio: Hay otros deportes, como el baloncesto...

Diana: y el voleibol.

Ignacio: También puedes esquiar...

Diana: o surfear. ¡A mí me gusta el surfing!

Ignacio: Y a mí me gusta mucho levantar pesas.

Ignacio: Hoy en día, un deporte muy popular es patinar...

Diana: ¡en patines!

Ignacio: Y también, en patineta.

Diana: ¿Y cuál es tu deporte favorito?

En vivo, Pupil's Edition
Level 1 pages 194–195
Middle School pages 222–223

Video Program Videotape 3/Videodisc 2A
12:22

Search Chapter 5, Play to 6
U3E2 • En vivo (Dialogue)

Claudio: Oye, ¿qué haces? ¿No ves que va a empezar la práctica?
Ignacio: Sí, ya veo. Pero es que espero a mi amigo de Minneapolis.
Claudio: ¿De Minneapolis? ¿Viene de Minneapolis a ver la práctica?
Ignacio: No, hombre. Él y su familia vienen a Puerto Rico a vivir.
Claudio: Ah. ¿Sabe él a qué hora empieza la práctica?
Ignacio: Sí, Roberto sabe que la práctica empieza a las dos.
Claudio: ¿Quieres practicar un poco conmigo?
Ignacio: No, gracias. Prefiero esperar a Roberto aquí.
Claudio: Ya sabes que la práctica empieza en menos de cinco minutos.
Ignacio: Sí, ya sé. No espero más de dos o tres minutos.
Roberto: ¡Ignacio! ¡Qué gusto!
Ignacio: ¡Roberto! ¡Cuánto tiempo!
Roberto: ¿Qué tal?
Ignacio: Bien, ¿y tú?
Roberto: Muy contento. ¡Ahora tengo un amigo para hablar de deportes!
Roberto: Bien, a ver tu guante. Tienes un guante bien chévere.
Roberto: A ver tus bates.
Roberto: ¿Prefieres este bate o éste?
Ignacio: Yo prefiero este bate.
Ignacio: ¿Juegas al béisbol en Minneapolis?
Roberto: Sí, pero no estoy en un buen equipo de béisbol.
Sr. Castillo: Vamos, Ignacio. La práctica empieza en unos minutos.
Ignacio: Sr. Castillo, le presento a mi amigo Roberto. Viene de Minneapolis.
Sr. Castillo: Mucho gusto, Roberto.
Roberto: Igualmente, Sr. Castillo.
Sr. Castillo: ¿Qué deportes juegan en Minneapolis?
Roberto: Hay mucho fútbol americano. ¡Son locos con el fútbol americano!
Sr. Castillo: ¡Como nosotros! Aquí en Puerto Rico somos locos con el béisbol.
Roberto: Sí, exactamente.
Ignacio: ¿Les gusta jugar al fútbol?
Roberto: Sí, pero el fútbol no es tan popular como el fútbol americano.
Sr. Castillo: Es interesante, ¿no? Cada país prefiere diferentes deportes.
Roberto: Sí, mucha gente en los Estados Unidos piensa que el fútbol americano es más interesante que el fútbol.
Ignacio: Y tú, ¿cuál es tu deporte favorito?
Roberto: A mí me gusta jugar al baloncesto, y un poco al tenis también. Pero pienso que el tenis es menos divertido que el baloncesto. También me gusta nadar.
Ignacio: Me gusta correr más que nadar.
Sr. Castillo: ¿Piensas jugar en el equipo de baloncesto de la escuela?
Roberto: Sí, me gustaría mucho. Pero también quiero jugar en el equipo de béisbol. Veo que usted tiene un equipo muy bueno. ¿Puedo practicar con ustedes?
Sr. Castillo: Pero, ¡claro, hombre!
Sr. Castillo: ¡Vamos, muchachos! ¡A practicar!
Ignacio: ¿Sabes? Necesito tu ayuda.
Roberto: ¿Para qué?
Ignacio: Quiero participar en un concurso. Es para la revista *Onda Internacional.*
Roberto: ¿Y qué piensas hacer?
Ignacio: Pues, no sé todavía. Tengo una idea, pero me gustaría hablar contigo sobre el proyecto.
Roberto: Claro, está bien. ¿Por qué no vienes a casa mañana por la mañana?
Ignacio: Gracias. Así también saludo a tu familia.
Roberto: ¡Perfecto! ... Oye, me gustaría ver a tu hermana. ¿Por qué no invitas a Diana también?
Ignacio: Está bien. Diana y yo vamos a tu casa mañana por la mañana. Nos vemos como a las diez. ¿Dónde está tu casa?

En contexto, Pupil's Edition
Level 1 pages 192–193
Middle School pages 220–221

Disc 8 Track 1

Diana and Ignacio are looking at equipment in a sporting goods store. Look at the illustrations to understand the meaning of the words in blue. This will help you answer the questions on the next page.

Diana: ¡Hola! Ignacio y yo estamos en la tienda de deportes. ¡Vamos a ver qué hay!

A A mí me gusta andar en patineta. Uso un casco cuando ando en patineta y cuando uso patines.

B Aquí hay de todo para practicar deportes como el baloncesto, el voleibol, el fútbol y el fútbol americano. ¡Y hay una bola especial para cada deporte! El baloncesto y el voleibol se practican en una cancha. El fútbol y el fútbol americano se practican en un campo. A veces se practican en un estadio.

C Practicas el béisbol con un guante, un bate y una pelota. Ésta es una foto del equipo de béisbol de Ignacio.

D ¿Te gusta levantar pesas?

E Para practicar el tenis usas una raqueta y una bola.

F En Puerto Rico, es divertido esquiar en el agua o practicar el surfing.

En vivo, Pupil's Edition
Level 1 pages 194–195
Middle School pages 222–223

Disc 8 Track 2

El campo de béisbol

Claudio: Oye, ¿qué haces?
Ignacio: Espero a mi amigo.
Claudio: ¡Ah! ¿Sabe él a qué hora empieza la práctica?
Ignacio: Sí.
Claudio: ¿Quieres practicar un poco conmigo?
Ignacio: No, gracias. Prefiero esperar a Roberto aquí.
Roberto: ¡Ignacio! ¡Qué gusto!
Ignacio: ¡Roberto! ¡Cuánto tiempo!
Roberto: ¡Ahora tengo un amigo para hablar de deportes! ¿Prefieres este bate o éste?
Ignacio: Yo prefiero este bate. ¿Juegas al béisbol en Minneapolis?
Roberto: Sí.
Ignacio: Sr. Castillo, le presento a Roberto. Viene de Minneapolis.
Sr. Castillo: Mucho gusto. ¿Qué deportes juegan en Minneapolis?
Roberto: ¡Son locos con el fútbol americano!
Ignacio: ¿Les gusta jugar al fútbol?
Roberto: Sí, pero no es tan popular como el fútbol americano. Mucha gente en los Estados Unidos piensa que el fútbol americano es más interesante que el fútbol.
Me gusta jugar al baloncesto y al tenis. Pienso que el tenis es menos divertido que el baloncesto. También me gusta nadar.
Ignacio: Me gusta correr más que nadar.
Sr. Castillo: ¿Piensas jugar en el equipo de baloncesto?
Roberto: Sí. También quiero jugar en el equipo de béisbol. ¿Puedo practicar con ustedes?
Sr. Castillo: ¡Claro! ¡Vamos!
Ignacio: Necesito tu ayuda. Quiero participar en un concurso.
Roberto: ¿Y qué piensas hacer?
Ignacio: Tengo una idea. Me gustaría hablar contigo sobre el proyecto.
Roberto: Claro, está bien. ¿Por qué no vienes a casa mañana por la mañana?
Ignacio: Así también saludo a tu familia.
Roberto: ¿Por qué no invitas a Diana?
Ignacio: Está bien. Nos vemos como a las diez.

En acción, Pupil's Edition
Level 1 pages 202, 205
Middle School pages 233, 237

Disc 8 Track 3

Actividad 13/14 Los deportistas

Escuchar Many of Diana's friends know how to play various sports. Listen to Diana's descriptions and explain what they know how to play.

Mis amigos saben jugar a muchos deportes. Gisela y César saben esquiar en el agua. Pablo no sabe esquiar, pero sabe jugar al tenis. Mi hermano y yo sabemos jugar al béisbol. Roberto y su hermano saben jugar al baloncesto. Practican mucho. Y yo sé jugar al voleibol. ¿A qué sabes jugar tú?

Disc 8 Track 4

Actividad 18/20 ¡Lógicamente!

Escuchar Everyone is talking about sports. Listen to what they have to say. Then choose the most logical response.

1. Son las dos menos cuatro. El partido empieza a las dos.
2. Me gusta practicar el tenis. Voy a jugar después de las clases.
3. Voy a la piscina. ¿Quieres venir conmigo?
4. Marco quiere jugar al fútbol americano. No tiene casco.
5. A Édgar le gusta levantar pesas más que nadar.

Pronunciación, Pupil's Edition Level 1 page 205 Middle School page 237

Disc 8 Track 5

Trabalenguas

Pronunciación de la ñ <eñe> The letter ñ does not exist in English, but the sound does. It is the sound made by the combination of the letters *ny* in the English word *canyon.* To practice the sound, pronounce the following tongue twister.

La ñ es la n con bigote.

¡La araña se baña mañana!

Más práctica pages 65–66

Disc 8 Track 6

Actividad 1 El béisbol

Listen to Coach Palacios talk to the baseball team. Underline the items in the word box that the coach mentions as being important for playing baseball.

Coach Palacios: Para jugar al béisbol, necesitan muchas cosas especiales. Para empezar, van a necesitar un uniforme con gorra. Cada uno de ustedes también necesita un bate, un guante y varias pelotas. Ustedes también necesitan buenos zapatos. Hay zapatos especiales para jugar al béisbol. Y necesitan saber que para jugar bien es necesario practicar mucho. Si quieren jugar en este equipo van a tener que correr mucho y hacer mucho ejercicio.

Disc 8 Track 7

Actividad 2 El tenis

Listen to Chela talk about her favorite sport, then complete the paragraph with the words that you hear.

Chela: Me llamo Chela, y mi deporte favorito es el tenis. Para jugar al tenis es una tradición llevar ropa blanca. Llevamos unos shorts blancos o una falda blanca, una camiseta blanca y calcetines y zapatos blancos. Hay que tener una raqueta buena y zapatos de tenis buenos. También es importante tener suficientes bolas, porque vas a perder muchas. Si quieres jugar bien al tenis, tienes que practicar mucho.

Disc 8 Track 8

Actividad 3 Un deporte peligroso

Listen to the conversation between Olga and Elena. After you have listened to the conversation, write brief responses to the following questions.

Olga: Oye, Elena, quiero empezar a practicar un deporte nuevo. Juego al tenis y al voleibol, pero quiero practicar un deporte más interesante. ¿Qué piensas del hockey? ¿o del surfing?

Elena: Chica, pienso que el hockey y el surfing son deportes muy peligrosos. ¿Por qué no empiezas a practicar el baloncesto? En la cancha no necesitas casco.

Olga: ¡Tú no me entiendes! El baloncesto está bien, pero no es muy diferente del tenis o del voleibol. Quiero algo diferente. Me gusta la idea de practicar un deporte peligroso.

Elena: Pobrecita Olga, estás loca. No sé dónde vas a practicar el hockey, pero mis amigos Gerardo y Leonel practican el surfing. No es fácil hacer surfing, pero es interesante y muy divertido. ¿Por qué no llamamos a los chicos y vamos con ellos a la playa?

Olga: Gracias, Elena. ¡Qué buena amiga eres!

Disc 8 Track 9

Actividad 4 Una tienda de deportes

Look at the drawing of the Universo sporting goods store. As you listen to the store's advertisement, make a check mark beside each item or category of item the announcer specifically mentions as being sold in the store.

Advertisement: Todos los deportes son divertidos y fascinantes, pero muchos deportes son también peligrosos. Por eso en la tienda de deportes Universo, vendemos todo tipo de casco. Aquí el deportista niño (o grande) y el atleta profesional van a ver todo lo que hay en el mundo de los deportes. Tenemos cascos para usar con patines o patineta, cascos para béisbol, para andar en bicicleta, para jugar al fútbol americano y al hockey. También tenemos patines, esquís, raquetas, bates, pelotas, bolas de todo tipo y ¡mucho, mucho más!

Disc 8 Track 10

Actividad 5 Un debate

Lucy and her brother Rey disagree about which sports are most interesting. Listen to their conversation, then answer the following questions.

Lucy: No sé por qué te gusta tanto el fútbol. Está bien jugar al fútbol a veces, pero es aburrido ver partidos de fútbol en la televisión.

Rey: ¿Aburrido? El fútbol nunca es aburrido. El problema es que tú no entiendes los deportes. Es fascinante mirar el fútbol en la televisión y escuchar el comentario de los expertos. Si quieres hablar de un deporte aburrido, habla del tenis o del golf.

Lucy: Y tú no entiendes ni el tenis ni el golf. Son muy buenos deportes, y muy difíciles. No son tan peligrosos como el fútbol. Pero son mucho más interesantes que el fútbol.

Rey: Para un buen jugador, el fútbol no es tan peligroso como otros deportes. Por ejemplo, el fútbol americano y el hockey son mucho más peligrosos que el fútbol. Y todos los deportes son mucho menos interesantes que el fútbol. Y ahora voy a mirar el partido. Con permiso.

Para hispanohablantes page 65

Disc 8 Track 11

Los acentos escritos y las palabras interrogativas

Has aprendido a usar el acento escrito con palabras que rompen las reglas de acentuación. El acento escrito también se usa para marcar palabras interrogativas y para distinguir palabras que se escriben exactamente igual.

Palabras interrogativas

¿cómo?

¿dónde?

¿cuándo?

¿qué?

¿cuál? y ¿cuáles?

¿cuántos? y ¿cuántas?

¿de dónde?

¿quién? y ¿quiénes?

¿cuánto? y ¿cuánta?

¿adónde?

¿por qué?

Palabras parecidas

el (él)

mi (mí)

si (sí)

solo (sólo)

te (té)

tu (tú)

Disc 8 Track 12

Actividad 1 Acento escrito, ¿sí o no?

Escucha el siguiente mensaje electrónico. Entonces subraya las palabras entre paréntesis que mejor completan el mensaje.

Mensaje: Hola, pana, ¿cómo estás? ¿Qué haces estos días? Hace un año que no vienes a San Juan. ¿Cuándo me vas a visitar? Mi padre tiene que ir a Ponce a pasar unos días. Como tiene que regresar para la semana que viene, ¡tenemos una gran oportunidad! Si a tu madre no le importa, tú puedes regresar con él a San Juan a pasar unos días con nosotros. También puedes volver a Ponce con mi padre. A mí me gusta mucho la idea. ¿Qué opinas tú? Sólo vamos a tener unos días, pero podemos hacer muchas cosas. ¿Por qué no le preguntas a tu mamá si puedes venir? Espero que sí.

Disc 8 Track 13

Actividad 2 Escucha, repite, escribe

Escucha y repite las siguientes oraciones y preguntas. Escucha otra vez y completa cada una con las palabras que faltan. ¡Ojo! Algunas palabras que faltan se escriben con **ñ** y otras llevan acento.

1. ¿Quién viene con él mañana?

2. El beisbolista vive en las montañas.

3. Diana juega peor que Roberto.

4. ¿Cuándo empieza el partido en el estadio?

Etapa Exam Forms A & B pages 86 and 91

Disc 19 Track 17

A Listen to Eduardo compare the sports he likes. Mark all the sports he mentions with a circle, then check the ones he prefers. **Strategy: Remember to listen for comparisons. Which sports are favored more than the others?**

Examen para hispanohablantes page 96

Disc 19 Track 17

A Escucha las comparaciones que hace Eduardo de los deportes que le gustan. Después, contesta las siguientes preguntas.

Eduardo: Hola. Me llamo Eduardo. Me gusta ver todos los deportes. Pienso que los deportes de equipo son tan interesantes como los deportes individuales. ¿Cuáles prefiero? Bueno... el béisbol es bueno, pero pienso que el voleibol es más divertido que el béisbol. Pero mi deporte de equipo favorito es el fútbol. Sé que el fútbol es menos popular que el fútbol americano, pero el fútbol tiene más acción. El deporte individual que prefiero es el tenis. También nado y levanto pesas, pero esos deportes son menos interesantes que jugar al tenis al aire libre. Pues, éstas son mis preferencias.

Nombre ______________________ Clase ______________ Fecha ______________

COOPERATIVE QUIZZES

Talking About Playing a Sport: The Verb *jugar*

Write a complete sentence using your imagination and the correct form of the verb **jugar.**

1. El equipo de la escuela ______________________________.
2. Paula ______________________________.
3. Martín y Elena ______________________________.
4. Mis amigos y yo ______________________________.
5. Tú ______________________________.

QUIZ 2

Stem-Changing Verbs: *e* → *ie*

Fill in the blanks with the correct form of the stem-changing verbs.

1. Esta tarde, Roberto (empezar/querer) ______________ jugar en el parque con nosotros, sus amigos.
2. Él (preferir/tener) ______________ jugar al béisbol, pero a mí no me gusta practicar el béisbol porque yo no (entender/pensar) ______________ algunas de las reglas. Además, yo no (preferir/tener) ______________ guante.
3. Roberto siempre invita a Gonzalo a jugar, pero Gonzalo (perder/pensar) ______________ la paciencia fácilmente y se enoja con todos.
4. Daniel y yo (querer/pensar) ______________ que es mejor invitar a Luis, en lugar de a Gonzalo, porque él (empezar/tener) ______________ a jugar muy bien. Además, él es muy paciente y se lleva bien con todos.
5. ¿(Querer/entender) ______________ tú jugar con nosotros también hoy? Tienes dos guantes de béisbol, ¿verdad? Necesitamos ir temprano porque el parque (querer/cerrar) ______________ a las 5:00. Después del partido, todos nosotros (merendar/preferir) ______________ en la casa de Roberto.

Unidad 3 Etapa 2 — Cooperative Quizzes

Nombre ______________________ Clase ______________ Fecha ______________

Saying What You Know: The Verb *saber*

Answer the following questions. Use the information in parentheses to say what these people know.

1. ¿Qué sabe hacer muy bien Felipe?

   (patinar)____.

2. ¿Quién sabe muy bien los verbos?

   (ellas) ____.

3. ¿Sabes tú cuándo es el próximo examen de literatura?

   (sí/yo) ____.

4. ¿Saben ustedes dónde es el partido de fútbol americano?

   (sí/nosotros)____.

5. ¿Quién sabe jugar bien al tenis?

   (tú) ____.

QUIZ 4

Phrases for Making Comparisons

Respond to the following questions. Remember that there are different formulas and several irregular comparative words.

1. ¿Te gusta más el fútbol o el baloncesto?

   ____.

2. Para ellos, ¿qué es mejor, jugar en el gimnasio o al aire libre?

   ____.

3. ¿Qué deporte es menos complicado, el hockey o el voleibol?

   ____.

4. ¿Es más popular el béisbol o el fútbol americano?

   ____.

5. ¿Quién es mayor, tu hermano o tú?

   ____.

Nombre ______ Clase ______ Fecha ______

Test-taking Strategy: Remember to focus your thinking. It really helps if you concentrate on what you are doing, here and now.

Unidad 3 Etapa 2

Exam Form A

ESCUCHAR

Tape 19 • SIDE B
CD 19 • TRACK 17

A. Listen to Eduardo compare the sports he likes. Mark all the sports he mentions with a circle, then check the ones he prefers. **Strategy: Remember to listen for comparisons. Which sports are favored more than the others?** (10 points)

1. ______ Prefiere

2. ______ Prefiere

3. ______ Prefiere

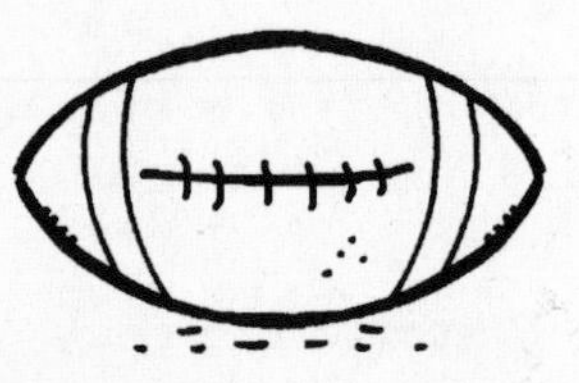

4. ______ Prefiere

5. ______ Prefiere

6. ______ Prefiere

7. ______ Prefiere

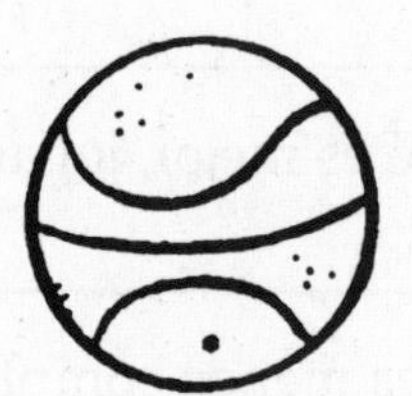

8. ______ Prefiere

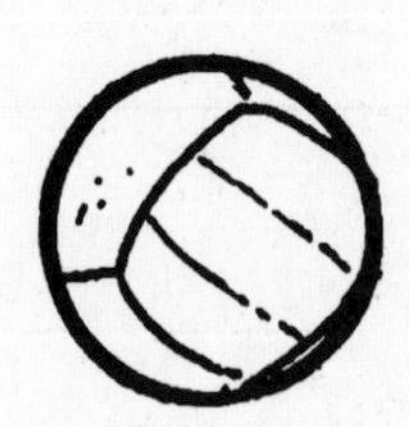

9. ______ Prefiere

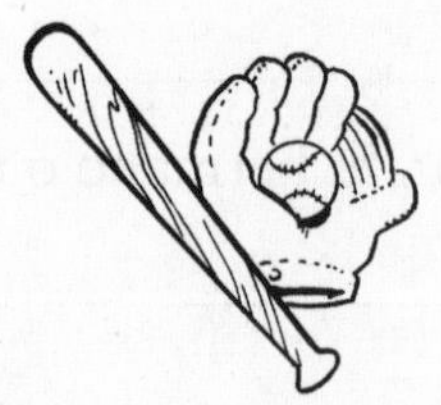

10. ______ Prefiere

LECTURA Y CULTURA

El señor Hernández has taken a survey of some students at Central High who participate in sports. Read the results of his study, then answer the questions below. **Strategy: Remember to look at how information is organized in a table. From which directions can the table be read? What are the relationships among columns?**

	béisbol	**fútbol**	**tenis**	**levantar pesas**	**baloncesto**	**fútbol americano**	**voleibol**
accesorios	casco guante bate pelota	bola	raqueta bola	pesas	bola	bola casco	bola
lugar	campo	campo	cancha	gimnasio	cancha	campo	cancha
equipo	9 personas	11 personas	1 ó 2 personas	1 persona	5 personas	11 personas	6 personas
estudiantes que participan	105	96	50	65	90	55	48

B. ¿Comprendiste? Read the following statements, and circle **C** for **cierto** (true) and **F** for **falso** (false). (10 points)

C F **1.** El deporte que más estudiantes practican es el béisbol.

C F **2.** Los estudiantes juegan a menos deportes en una cancha que en un campo.

C F **3.** Hay más de 48 estudiantes que juegan al voleibol.

C F **4.** Hay tantas personas en el equipo de fútbol como en el equipo de fútbol americano.

C F **5.** Los jugadores de béisbol usan más accesorios que los jugadores de tenis.

C. ¿Qué piensas? Answer these questions. (10 points)

1. ¿Cuáles son los dos deportes más populares? ¿Cómo sabes?

____

____

2. Tú y tu amigo(a) quieren practicar un deporte pero no quieren estar en un equipo. Examina la información. ¿Qué deportes son mejores para ustedes? ¿Por qué?

____

____

Unidad 3 Etapa 2 Exam Form A

Nombre ____________ Clase ____________ Fecha ____________

VOCABULARIO Y GRAMÁTICA

D. Read the groups of words below, then circle the one that doesn't belong.
Strategy: Remember to look for common themes and patterns. (10 points)

1. ganar, gol, partido, piscina
2. guante, raqueta, bate, pelota
3. baloncesto, béisbol, surfing, fútbol
4. bola, casco, sombrero, gorra
5. cancha, campo, patines, estadio

E. Fill in the blanks a comparison of the following people and things. (10 points)

1. A Miguel le gusta el béisbol ____________ ____________ el baloncesto.

2. El gato es ____________ gordo ____________ el perro.

3. La blusa es ____________ grande ____________ la camiseta.

Anita Teresa

4. Anita es ____________ alta ____________ Teresa.

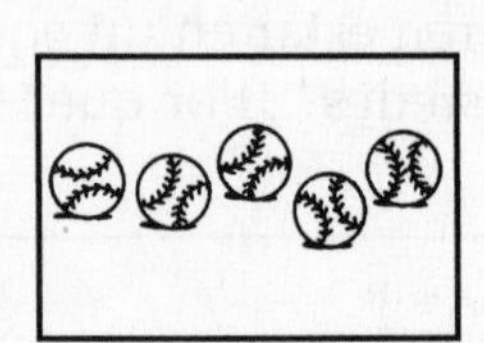

5. Hay ____________ cuatro pelotas aquí.

Nombre ______________________ Clase ______________ Fecha ______________

F. Complete these sentences with the correct form of a verb from the box. (10 points)

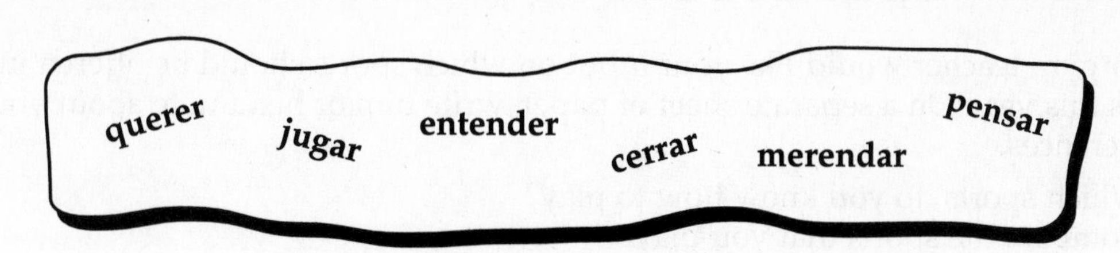

1. Tú ______________ al voleibol, ¿verdad?
2. La tienda de deportes ______________ a las ocho de la noche.
3. Nosotros ______________ esquiar en el agua más que practicar el surfing.
4. Los muchachos no ______________ muy bien la lección.
5. Yo ______________ que es buena idea. ¿Y tú?

G. Tell which sports these people know how to play and where they practice them. (10 points)

1. tú: el baloncesto/cancha

____

____

2. yo: el voleibol/cancha

____

____

3. María Josefina y yo: el fútbol/campo

____

____

4. los chicos: el fútbol americano/campo

____

____

5. Carlos: el tenis/cancha

____

____

Unidad 3 Etapa 2 Exam Form A

Nombre ______________________ Clase ______________ Fecha ______________

ESCRITURA

H. Your gym teacher would like your input on which sports should be offered in gym class this year. On a separate sheet of paper, write him or her a note about your preferences.

- Which sports do you know how to play?
- Compare the sports that you play.
- Tell your teacher your preferences for this year.

Strategy: Remember to use a cluster diagram like the one below to help you organize your thoughts. (15 points)

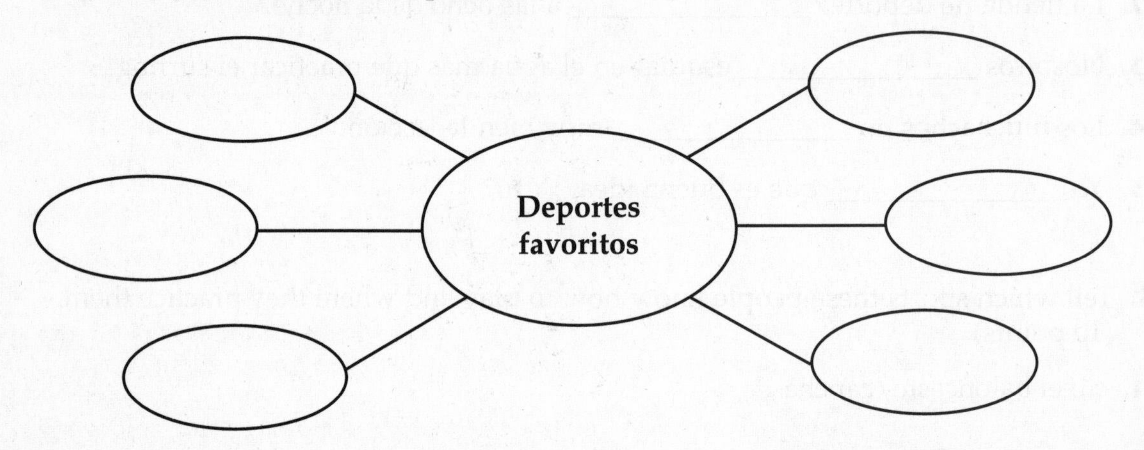

Writing Criteria	Scale	Writing Criteria	Scale	Writing Criteria	Scale
Vocabulary Usage	1 2 3 4 5	Accuracy	1 2 3 4 5	Organization	1 2 3 4 5

HABLAR

I. Answer your teacher's questions about the drawing. Use complete sentences. **Strategy: Remember to stop and correct yourself if you hear that you've made an error.** (15 points)

1. ¿A qué juegan los hombres?
2. ¿Dónde están?
3. ¿Qué llevan?
4. ¿Qué equipo gana?
5. ¿Sabes jugar a este deporte?

CARDENALES 2
ÁGUILAS 0

Speaking Criteria	Scale	Speaking Criteria	Scale	Speaking Criteria	Scale
Vocabulary Usage	1 2 3 4 5	Accuracy	1 2 3 4 5	Organization	1 2 3 4 5

Nombre ______________________ Clase ______________ Fecha ______________

Test-taking Strategy: Remember to focus your thinking. It really helps if you concentrate on what you are doing, here and now.

ESCUCHAR

Tape 19 • SIDE B
CD 19 • TRACK 17

A. Listen to Eduardo compare the sports he likes. Mark all the sports he mentions with a circle, then check the ones he prefers. **Strategy: Remember to listen for comparisons. Which sports are favored more than the others?** (10 points)

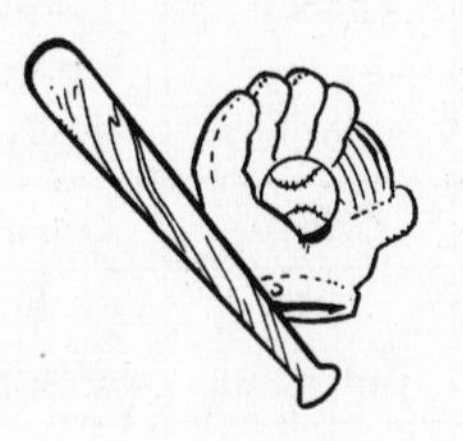

1. ______ Prefiere

2. ______ Prefiere

3. ______ Prefiere

4. ______ Prefiere

5. ______ Prefiere

6. ______ Prefiere

7. ______ Prefiere

8. ______ Prefiere

9. ______ Prefiere

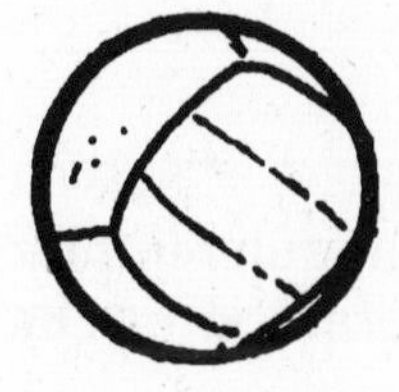

10. ______ Prefiere

LECTURA Y CULTURA

El señor Hernández has taken a survey of some students at Central High who participate in sports. Read the results of his study, then answer the questions below. **Strategy: Remember to look at how information is organized in a table. From which directions can the table be read? What are the relationships among columns?**

	voleibol	**fútbol**	**baloncesto**	**levantar pesas**	**tenis**	**fútbol americano**	**béisbol**
accesorios	bola	bola	bola	pesas	raqueta bola	bola casco	casco guante bate pelota
lugar	cancha	campo	cancha	gimnasio	cancha	campo	campo
equipo	6 personas	11 personas	5 personas	1 persona	1 ó 2 personas	11 personas	9 personas
estudiantes que participan	48	96	90	65	50	55	105

B. **¿Comprendiste?** Read the following statements, and circle **C** for **cierto** (true) and **F** for **falso** (false). (10 points)

C F **1.** Los estudiantes juegan a menos deportes en una cancha que en un campo.

C F **2.** Hay tantas personas en el equipo de fútbol como en el equipo de fútbol americano.

C F **3.** El deporte que más estudiantes practican es el béisbol.

C F **4.** Hay más de 50 estudiantes que juegan al voleibol.

C F **5.** Los jugadores de béisbol usan más accesorios que los jugadores de tenis.

C. **¿Qué piensas?** Answer these questions. (10 points)

1. ¿Cuáles son los dos deportes más populares? ¿Cómo sabes?

______

______

2. Tú y tu amigo(a) quieren practicar un deporte pero no quieren estar en un equipo. Examina la información. ¿Qué deportes son mejores para ustedes? ¿Por qué?

______

______

VOCABULARIO Y GRAMÁTICA

D. Read the groups of words below, then circle the one that doesn't belong.
Strategy: Remember to look for common themes and patterns. (10 points)

1. baloncesto, béisbol, surfing, fútbol
2. bola, casco, sombrero, gorra
3. cancha, campo, patines, estadio
4. ganar, gol, partido, piscina
5. guante, raqueta, bate, pelota

E. Fill in the blanks to compare the following people and things. (10 points)

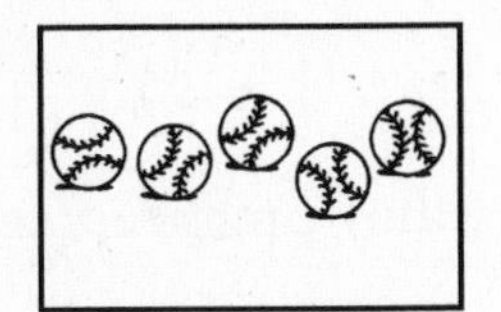

1. Hay __________ __________ cuatro pelotas aquí.

2. A Miguel le gusta el béisbol __________ __________ el baloncesto.

3. El gato es __________ gordo __________ el perro.

4. La blusa es __________ grande __________ la camiseta.

Anita Teresa

5. Anita es __________ alta __________ Teresa.

F. Complete these sentences with the correct form of a verb from the box. (10 points)

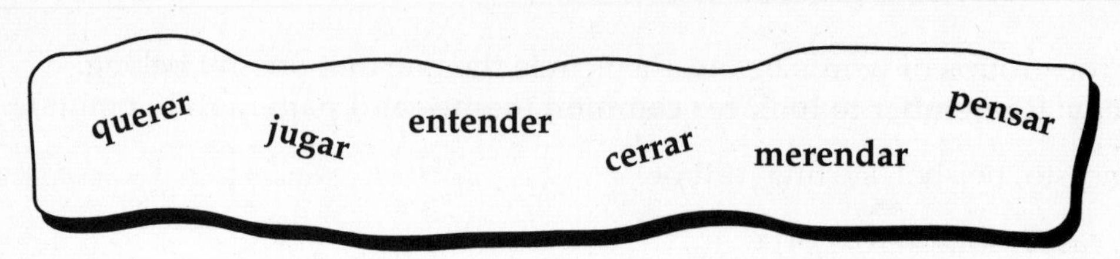

1. Nosotros ______________ esquiar en el agua más que practicar el surfing.
2. Los muchachos no ______________ muy bien la lección.
3. La tienda de deportes ______________ a las siete y media.
4. Yo ______________ que es buena idea.
5. Tú ______________ al voleibol, ¿verdad?

G. Tell which sports these people know how to play and where they practice them. (10 points)

1. Carlos: el tenis/cancha

____

____

2. los chicos: el fútbol americano/campo

____

____

3. tú: el baloncesto/cancha

____

____

4. María Josefina y yo: el fútbol/campo

____

____

5. yo: el voleibol/cancha

____

____

ESCRITURA

H. Your gym teacher would like your input on which sports should be offered in gym class this year. On a separate sheet of paper, write him or her a note about your preferences.

- Which sports do you know how to play?
- Compare the sports that you play at school.
- Tell your teacher your preferences for this year.

Strategy: Remember to use a cluster diagram like the one below to help you organize your thoughts. (15 points)

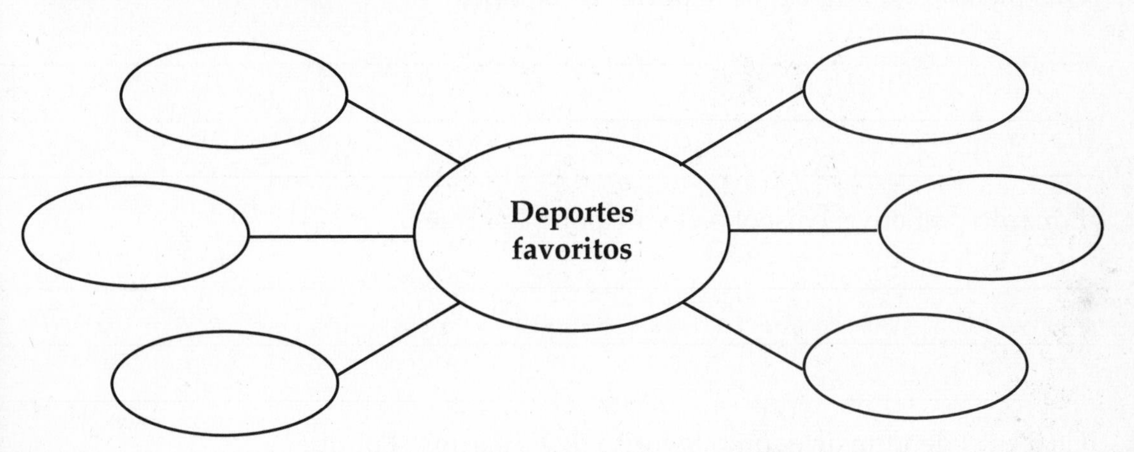

Writing Criteria	Scale	Writing Criteria	Scale	Writing Criteria	Scale
Vocabulary Usage	1 2 3 4 5	Accuracy	1 2 3 4 5	Organization	1 2 3 4 5

HABLAR

I. Answer your teacher's questions about the drawing. Use complete sentences. **Strategy: Remember to stop and correct yourself if you hear that you've made an error.** (15 points)

1. ¿A qué juegan los hombres?
2. ¿Dónde están?
3. ¿Qué llevan?
4. ¿Qué equipo gana?
5. ¿Sabes tú jugar a este deporte?

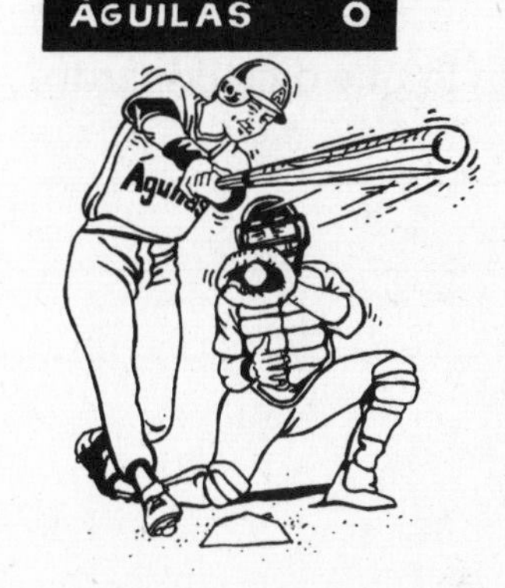

Speaking Criteria	Scale	Speaking Criteria	Scale	Speaking Criteria	Scale
Vocabulary Usage	1 2 3 4 5	Accuracy	1 2 3 4 5	Organization	1 2 3 4 5

Nombre ______ Clase ______ Fecha ______

> **Test-taking Strategy:** Remember to focus your thinking. It really helps if you concentrate on what you are doing, here and now.

ESCUCHAR

Tape 19 • SIDE B
CD 19 • TRACK 17

A. Escucha las comparaciones que hace Eduardo de los deportes que le gustan. Después, contesta las siguientes preguntas. **Strategy: Remember to listen for comparisons. Which sports are favored more than others?** (10 puntos)

1. ¿Qué piensa Eduardo de los deportes de equipo?

______

2. ¿Eduardo prefiere el béisbol o el voleibol? ¿Por qué?

______

3. ¿Cuál es el deporte de equipo favorito de Eduardo? ¿Por qué?

______

4. ¿Cómo compara Eduardo el tenis con otros deportes individuales?

______

5. Según lo que dice Eduardo, ¿cómo son todos los deportes que prefiere él?

______

LECTURA Y CULTURA

Claudia tiene que hacer una presentación sobre el centro de deportes donde trabaja a los jugadores de la liga de invierno. Lee el discurso que prepara. Luego, haz las Actividades B y C. **Strategy: Remember to read the passage twice; the first time to discover the purpose of the reading, the second, to find out details.**

Queridos representantes de la liga de invierno,

Me llamo Claudia Rangel y trabajo aquí en el Centro de Deportes Roberto Clemente. El Centro se llama así en homenaje al jugador más famoso de Puerto Rico. El Centro es más grande que todos los otros centros de la región. Se abre a las seis de la mañana y se cierra a las diez de la noche todos los días.

En el Centro hay cuatro campos de béisbol. Es decir, su liga puede jugar cuatro partidos al mismo tiempo. Los jugadores pueden usar sus propios accesorios o si prefieren, pueden usar los bates, guantes, cascos y pelotas que tenemos aquí. El Centro también tiene cuatro canchas de baloncesto que se usan también para el voleibol, ocho canchas de tenis, una piscina y un estadio donde los equipos de fútbol juegan. De esa manera, si a los miembros de sus equipos les gusta jugar a otros deportes además del béisbol, pueden hacerlo.

B. **¿Comprendiste?** Marca con un círculo la respuesta correcta. **C** es **cierto** y **F** es **falso.** (10 puntos)

C F **1.** El lugar donde trabaja Claudia es un centro de deportes importante.

C F **2.** Los representantes a quienes les habla Claudia no conocen el centro.

C F **3.** Los equipos de béisbol tienen que usar los bates y pelotas del centro.

C F **4.** La gente juega al baloncesto tanto como al tenis en cuatro canchas.

C F **5.** El centro tiene lo que necesita una persona que nada y juega al voleibol.

C. **¿Qué piensas?** Contesta estas preguntas con oraciones completas. (10 puntos)

1. Compara lo que tiene el Centro de Deportes para cada deporte. ______________________

____

____

2. ¿Cuál es el propósito del discurso? ______________________

____

____

VOCABULARIO Y GRAMÁTICA

D. Escribe las letras que corresponden: (1) a los accesorios de cada deporte y (2) al lugar donde se juega. **Strategy: Remember to picture in your mind which things are associated with one another.** (10 puntos)

______ ______	**1.** el tenis	**a.** pelota, bate, guante	**f.** campo
______ ______	**2.** el hockey	**b.** bola, casco	**g.** cancha
______ ______	**3.** levantar pesas	**c.** bola, raqueta	**h.** estadio
______ ______	**4.** el fútbol americano	**d.** patines	**i.** gimnasio
______ ______	**5.** el béisbol	**e.** pesas	**j.** sobre hielo

E. Según los dibujos, indica los deportes que estas personas saben jugar y los que no juegan. (10 puntos)

1. Nosotros /  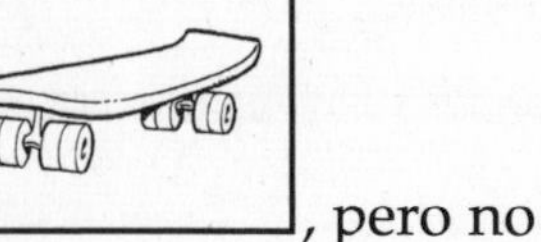, pero no /  ______

2. Yo / , pero no / 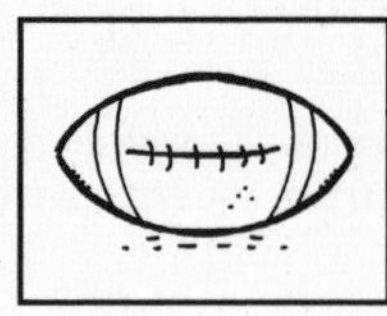 ______

3. Tú / 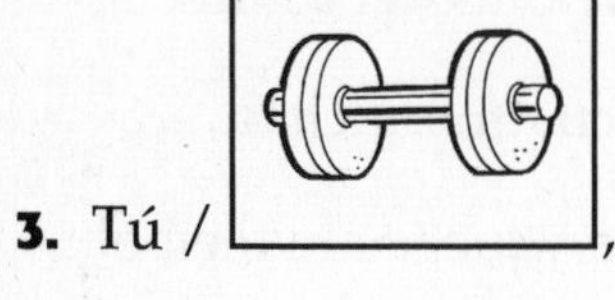, pero no / 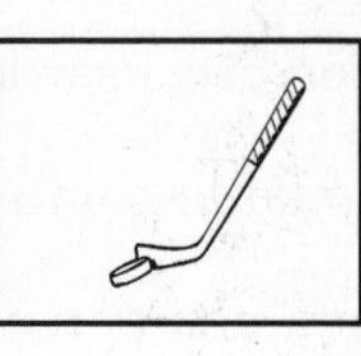 ______

4. Lisa y Diego / , pero no / 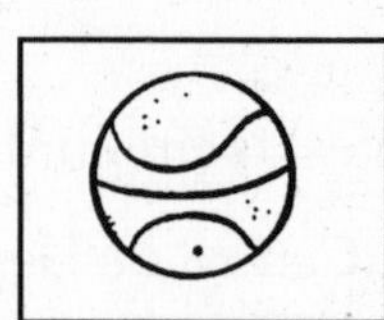 ______

5. Mi papá / 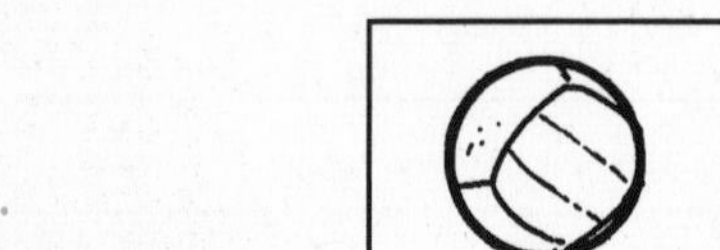 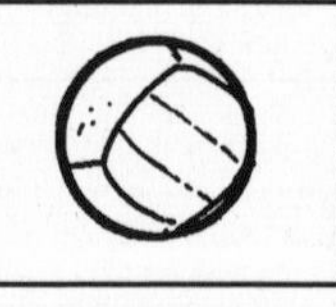, pero no / 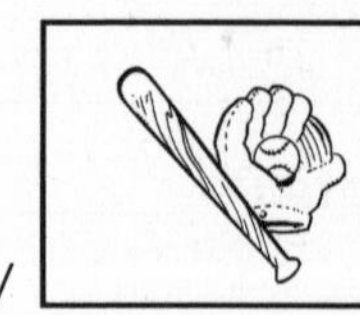 ______

Nombre ______________________ Clase ______________ Fecha ______________

F. Escoge un verbo que cambia de **e** → **ie** y haz una oración lógica con la información a continuación. (10 puntos)

1. La tienda de deportes ____________ a las seis.

____

2. Nosotros no ____________ la lección de historia.

____

3. Yo ____________ que Anita tiene la respuesta correcta.

____

4. Tú siempre ____________ los partidos de tenis.

____

5. Las clases ____________ a las ocho y cinco de la mañana.

____

G. Compara los objetos y personas siguientes usando las palabras en paréntesis. (10 puntos)

Anita **Teresa**

1. (alto) ______________________________

2. (gordo) ______________________________

3. (grande) ______________________________

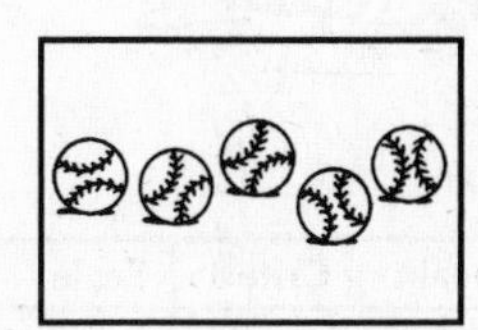

4. Hay (cuatro) ______________________________

5. (gustar) ______________________________

Unidad 3 Etapa 2 — Examen para hispanohablantes

ESCRITURA

H. Tu maestro de educación física quiere saber qué deportes prefieres practicar este año. En una hoja de papel, escríbele una nota indicando tus preferencias.

- ¿A qué deportes sabes jugar?
- Compara los deportes que juegas en la escuela.
- Dile a tu maestro cuáles son los deportes que prefieres practicar este año.

Strategy: Remember to use a cluster diagram like the one below to help you organize your thoughts. (15 puntos)

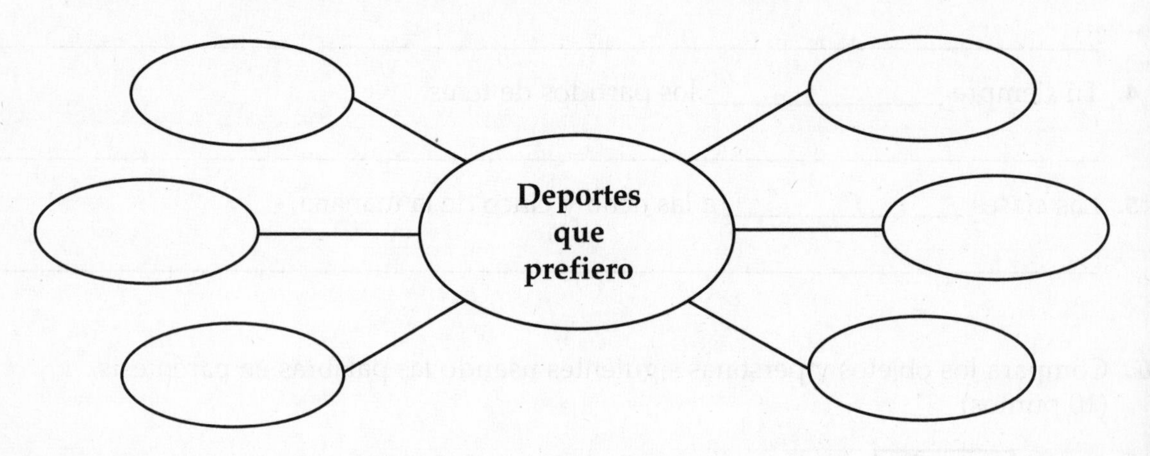

Writing Criteria	Scale	Writing Criteria	Scale	Writing Criteria	Scale
Vocabulary Usage	1 2 3 4 5	Accuracy	1 2 3 4 5	Organization	1 2 3 4 5

HABLAR

I. Mira el dibujo y describe la escena.

- ¿Qué pasa en el dibujo?
- Describe lo que llevan los hombres.
- Compara los hombres y los equipos.

Strategy: Remember to stop and correct yourself if you hear that you've made an error. (15 puntos)

Speaking Criteria	Scale	Speaking Criteria	Scale	Speaking Criteria	Scale
Vocabulary Usage	1 2 3 4 5	Accuracy	1 2 3 4 5	Organization	1 2 3 4 5

Nombre ______________ Clase ______________ Fecha ______________

PORTFOLIO ASSESSMENT

My Sporting Goods Store

Prepare a television commercial in which you promote your own sporting goods store. You can use posters to illustrate the goods that you have or you can bring in actual items. Be sure to use as much vocabulary as you can from **Etapa 2**, as well as vocabulary that you've learned up to this point.

Goal: A videotape or audiotape of your commercial, as well as a copy of the script, to be included in your portfolio.

Scoring:

Criteria/Scale 1–4	(1)	Poor	(2)	Fair	(3)	Good	(4)	Excellent
Creativity	1	Not creative, no props or costumes	2	Some creativity, a few props and costumes	3	Creative, good props and costumes	4	Very creative, great props and costumes
Vocabulary	1	Inadequate or no use of new vocabulary	2	Some use of new vocabulary	3	Good use of new vocabulary	4	Excellent use of new vocabulary
Preparation	1	Not prepared	2	Somewhat prepared	3	Prepared	4	Very well prepared

A = 10–12 pts. B = 7–9 pts. C = 4–6 pts. D = 2–3 pts. F = < 2 pts.

Total Score: ______________

Comments: ______________

Unidad 3
Etapa 2
Portfolio Assessment

Nombre ______________________ Clase ______________ Fecha ______________

Write a sports column in which you talk about your favorite sports and why they're your favorites. Compare different sports and explain why you prefer one sport over another. Be sure to use the vocabulary from **Etapa 2**, as well as vocabulary and structures from previous chapters.

Goal: Your sports column to be included in your portfolio.

Scoring:

Criteria/Scale 1–4	(1)	Poor	(2)	Fair	(3)	Good	(4)	Excellent
Creativity	1	Not creative	2	Some creativity	3	Creative	4	Very creative
Organization	1	Not organized	2	Some efforts to organize	3	Organized	4	Very well organized
Accuracy	1	Hard to understand	2	Somewhat accurate	3	Good accuracy, few mistakes	4	Very accurate, almost no mistakes
Grammar	1	Errors prevent comprehension	2	Some grammar errors throughout	3	Good use of grammar	4	Excellent use of grammar

A = 13–16 pts. B = 10–12 pts. C = 7–9 pts. D = 4–6 pts. F = < 4 pts.

Total Score: ______________________

Comments: ______________________

Unidad 3 Etapa 2

Portfolio Assessment

ESCUCHAR

Tape 9 • SIDE B
CD 9 • TRACKS 8–11

ACTIVIDAD 1 Querido diario

Complete the following paragraph. Write the words you hear.

Mis papás quieren pasar una semana en la casa de la montaña. Es noviembre y voy a necesitar un abrigo. En la montaña, hace mucho frío. En el invierno me gusta patinar sobre hielo en el lago, pero ahora es otoño. No hay hielo y si hay no es suficiente para patinar. Tengo miedo de tener un accidente. Pero creo que ya hay nieve y mis hermanos tienen ganas de esquiar. También creo que va a nevar. Mi mamá está preparando las cosas ahora y tiene prisa porque nos vamos mañana. Bueno, es tarde y tenemos sueño.

ACTIVIDAD 2 ¿Qué ropa necesitan?

Listen to these people. They are all talking about doing something. Circle the article of clothing that would be appropriate for each activity mentioned.

1. **a.** el abrigo (circled) **b.** los shorts
2. **a.** la bufanda **b.** el traje de baño (circled)
3. **a.** el traje de baño **b.** el paraguas (circled)
4. **a.** las gafas de sol (circled) **b.** el impermeable
5. **a.** la chaqueta **b.** los shorts (circled)

Unidad 3 Etapa 3 CUADERNO Más práctica

Nombre ______________________ Clase ____________ Fecha ____________

¿Qué hay en la maleta?

Look at what is in the suitcase. Then answer the questions you hear by circling **sí** or **no**.

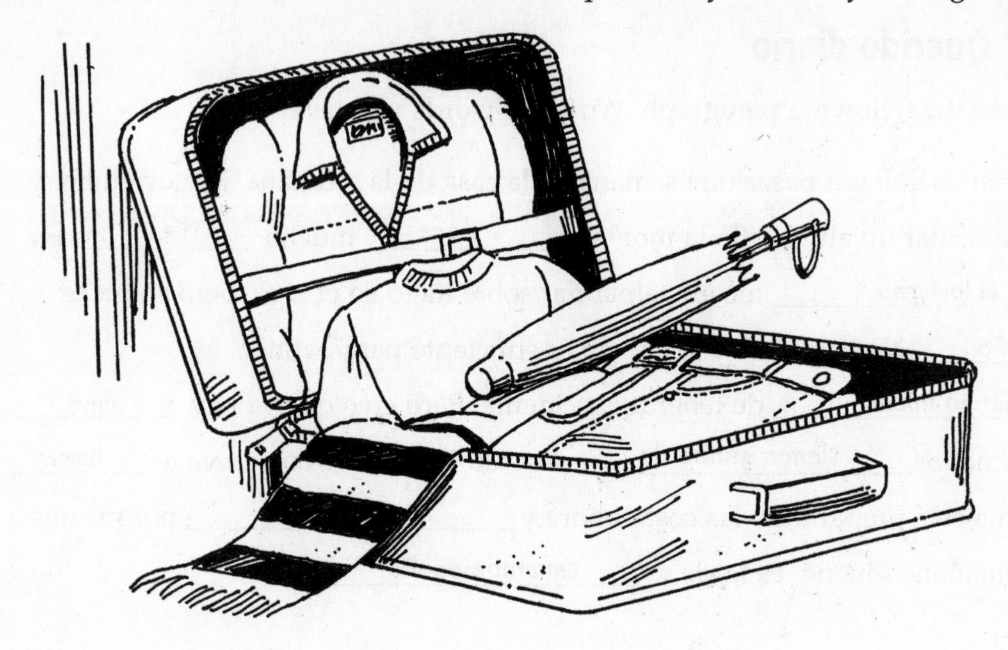

1. sí (no)

2. sí (no)

3. (sí) no

4. (sí) no

5. (sí) no

6. sí (no)

ACTIVIDAD 4

¿Qué prefieres?

Listen to the questions, then write your answers below. **Answers will vary.**

1. ______________________________

2. ______________________________

3. ______________________________

4. ______________________________

5. ______________________________

Unidad 3 Etapa 3

CUADERNO Más práctica

Nombre _______________ Clase _______________ Fecha _______________

VOCABULARIO

ACTIVIDAD 5 ¡Las vacaciones!

Look at the picture. Using the vocabulary from this **etapa,** make a list of five Spanish words to describe what's in the drawing.

los trajes de baño

el bronceador

las gafas de sol

la playa

el mar

ACTIVIDAD 6 ¿En qué estación estamos?

Read the following descriptions and write the season.

el verano **1.** Juan lleva su traje de baño. Él quiere ir a la playa.

el otoño **2.** Marta lleva un suéter y tiene ganas de jugar al fútbol americano.

el invierno **3.** Irma lleva su abrigo de cuadros y va a esquiar.

la primavera **4.** Julio lleva su impermeable y su paraguas. Él está contento porque hay muchas flores en esta estación.

ACTIVIDAD 7 El tiempo

Fill in the blank with the correct weather expression.

1. Cuando nieva, también hace frío. ¡Brr!

2. Llueve mucho en el bosque tropical. No es como el desierto.

3. Creo que va a llover porque está nublado.

4. Necesitas tus gafas de sol hoy porque hace sol/hay sol.

5. ¡Cuidado! Vas a perder la gorra porque hace viento/hay viento.

Unidad 3 Etapa 3 CUADERNO Más práctica

Nombre ______________________ Clase ______________ Fecha ______________

ACTIVIDAD 8 ¿Qué tiempo hace? ¿Qué prefieres hacer?

Answer the following questions for each of the pictures:

1. How's the weather? **2.** What do you think the temperature is? **3.** What would you wear?

modelo:

(1) Hace buen tiempo. Hay sol.

(2) La temperatura está a 75 grados Fahrenheit.

(3) Quiero llevar gafas de sol, shorts y una camiseta.

Answers will vary. Possible answers:

(1) Está lloviendo. Hay una tormenta. Hace mal tiempo. Está nublado. (2) La temperatura está a 50 grados Fahrenheit. (3) Necesito un paraguas y un impermeable.

(1) Hay sol. Hace sol. Hace calor. (2) La temperatura está a 90 grados Fahrenheit. (3) Quiero llevar un traje de baño y gafas de sol.

(1) Hace frío. Hace mal tiempo. Hay nieve. (2) La temperatura está a 20 grados Fahrenheit. (3) Necesito un abrigo, una bufanda y un gorro.

(1) Hace viento. Hay viento. Está nublado. (2) La temperatura está a 40 grados Fahrenheit. (3) Quiero llevar un abrigo y una bufanda o un impermeable.

GRAMÁTICA: DESCRIBING THE WEATHER

ACTIVIDAD 9 ¿Qué tiempo hace?

Underline the correct completion of each sentence.

1. En el bosque tropical, (hace/llueve) mucho.
2. Voy a llevar un traje de baño porque (hace/está) mucho calor.
3. (Viento/Nieva) en Minnesota en el invierno.
4. (Está/Hay) mucho viento en la primavera.
5. Cuando (hay/está) nublado, vemos una película.

ACTIVIDAD 10 ¡Qué tiempo!

Complete the telephone conversation.

A: ¿Te gusta vivir en Seattle?

B: Sí, pero ______ **llueve** ______ mucho. Necesito un impermeable.

A: Pero en Seattle no ______ **hace** ______ mucho ______ **frío** ______ en el invierno, ¿no? ¿Cuál es la temperatura?

B: Bueno, hoy está a 75 grados.

A: Aquí en San Antonio ______ **hace** ______ buen tiempo: está a 75 grados también, y ______ **hay/hace** ______ sol.

ACTIVIDAD 11 El tiempo en...

Write the names of the four seasons. Then list a feature of the weather in your town during that season. **Answers will vary.**

____

____

____

____

____

____

____

Nombre ______ Clase ______ Fecha ______

GRAMÁTICA: SPECIAL EXPRESSIONS USING *tener*

ACTIVIDAD 12 ¿Qué tiene?

Complete the following sentences, supplying the correct form of **tener** and choosing the appropriate word.

1. La hermana de Jaime acaba de correr y está cansada. Tiene (sueño/suerte).
2. Yo tengo (razón/prisa) porque la práctica empieza en cinco minutos.
3. Marta y Ricardo tienen (suerte/cuidado). Van a San Juan. ¡Qué divertido!
4. Tú tienes (sueño/razón). Hoy no hay práctica.
5. El bosque es peligroso. Cuando va al bosque, mi papá tiene (calor/cuidado).

ACTIVIDAD 13 ¿Qué quieren hacer?

Write sentences to describe what these people feel like doing.

modelo: él: trabajar

Tú: Él tiene ganas de trabajar.

1. nosotras: correr Nosotras tenemos ganas de correr.
2. tú: escribir una carta Tú tienes ganas de escribir una carta.
3. ustedes: ver la televisión Ustedes tienen ganas de ver la televisión.
4. ellas: cantar Ellas tienen ganas de cantar.
5. yo: jugar al fútbol Tengo ganas de jugar al fútbol.

ACTIVIDAD 14 ¿Qué pasa?

Write how you feel in the following situations. Answers will vary. Possible answers:

1. No comes por muchas horas. Tengo hambre.
2. Son las tres de la mañana. Tengo sueño.
3. Hay examen de matemáticas hoy. Tengo miedo.
4. Empieza la práctica ahora, pero estás en casa. Tengo prisa.

Unidad 3 Etapa 3

CUADERNO Más práctica

Nombre ______________________ Clase ______________ Fecha ______________

GRAMÁTICA: DIRECT OBJECT PRONOUNS

El objeto directo

Choose the answer with the correct pronoun substitution.

modelo: Elena lleva un impermeable cuando llueve.

a. Elena la lleva cuando llueve.

b. Elena los lleva cuando llueve.

c. Elena lo lleva cuando llueve.

1. Tengo la raqueta de tenis.

a. La tengo.

b. Las tengo.

c. Lo tengo.

2. Tú y Guillermo quieren la camiseta.

a. Ustedes las quieren.

b. Ustedes me quieren.

c. Ustedes la quieren.

3. Ana trae la merienda.

a. Ana lo trae.

b. Ana la trae.

c. Ana las trae.

4. Carlos prepara estos tacos muy bien.

a. Carlos los prepara muy bien.

b. Carlos la prepara muy bien.

c. Carlos lo prepara muy bien.

5. Santiago prefiere llevar el abrigo.

a. Santiago nos prefiere llevar.

b. Santiago prefiere llevarlo.

c. Santiago la prefiere llevar.

6. Quiero sacar fotos de México hoy.

a. Lo quiero sacar hoy.

b. Quiero sacar las fotos hoy.

c. Las quiero sacar hoy.

ACTIVIDAD 16 ¿Qué hay en la maleta?

Beatriz is going away for the weekend, and her mother is helping her pack a suitcase. Complete the conversation with the appropriate pronouns.

Mamá: Beatriz, ¿ya tienes el vestido que vas a llevar a la fiesta?

Beatriz: Sí, mamá, ya ___lo___ tengo.

Mamá: Necesitas el impermeable y el paraguas también; está lloviendo.

Beatriz: ___Los___ tengo en la maleta, mamá.

Mamá: ¿Y la bufanda?

Beatriz: No ___la___ necesito, mamá, porque no hace mucho frío.

Mamá: ¿Tienes la cámara? ¿Quieres sacar fotos?

Beatriz: Sí, necesito sacar fotos de los amigos. ___Las___ quiero sacar en la fiesta. Gracias, mamá.

Nombre ______________________ Clase ______________ Fecha ______________

GRAMÁTICA: PRESENT PROGRESSIVE

¡Están ocupados!

Choose the correct form of **estar** to complete the sentences.

1. Nelda y Juan (están/está) estudiando hoy.
2. Yo (está/estoy) escribiendo una carta.
3. Tú (estás/estamos) tomando el sol.
4. Mi abuela (estoy/está) leyendo cartas.
5. Mariela y yo (estoy/estamos) caminando en la nieve.

¿Qué están haciendo?

Everybody's doing his or her favorite thing. Write sentences with the words given.

1. Pedro y Guadalupe / jugar al tenis
   Pedro y Guadalupe están jugando al tenis.
2. los abuelos y yo / ver la televisión
   Los abuelos y yo estamos viendo la televisión.
3. yo / sacar fotos
   Estoy sacando fotos.
4. Carla / escribir una carta
   Carla está escribiendo una carta.
5. Héctor / bailar en un club
   Héctor está bailando en un club.

¿Qué estás haciendo?

Imagine it's your favorite time of the week and you are doing exactly what you like to do. Say where you are, and list five things that are happening right now.

Answers will vary.

Unidad 3 Etapa 3
CUADERNO Más práctica

ESCUCHAR

Tape 9 • SIDE B
CD 9 • TRACKS 12, 13

El sonido /x/

Hay diferentes formas de escribir el sonido /x/. Escucha con cuidado al narrador mientras él pronuncia las siguientes palabras. Subraya la sílaba en cada palabra que contiene el sonido de la categoría.

/xa/: Javier, mojar, hija, baja, pelirroja, jalapeño

/xe/: jefe, viejecita, ejercicio, mujer, generoso, geografía, inteligente

/xi/: jirafa, jinete, gigante, gimnasio, girasol, gitano

/xo/: Jorge, viejo, trabajo, hijo, ojo

/xu/: jugar, juguete, junio

El uso

Ahora escribe las letras que les faltan a las siguientes palabras que el narrador va a pronunciar.

1. __g__ __e__ nerosidad
2. inteli __g__ __e__ nte
3. __g__ __i__ mnasio
4. __j__ __o__ ven
5. e __j__ __e__ rcicio
6. __g__ __i__ tana
7. __j__ __u__ lio
8. __j__ __a__ rabe
9. __g__ __e__ ometría
10. traba __j__ __a__

Unidad 3 Etapa 3
CUADERNO Para hispanohablantes

Nombre _______________ Clase _______________ Fecha _______________

LECTURA

Actividad 3 Antes de leer

Haz una lista de condiciones meteorológicas que pueden existir en Puerto Rico.

Answers will vary. Possible answers: sol, lluvia, viento

La meteorología en el trópico

Puerto Rico es una isla tropical, y la mejor estación para visitar la isla es el invierno. Durante el invierno, hace fresco. La temperatura en ese tiempo está entre 70 y 80° F (23 y 32° C) durante el día. En cambio en las montañas, se necesita un suéter por la noche.

En el trópico, llueve todos los días pero sólo por un rato. El tiempo puede cambiar muy rápidamente. Siempre hay que estar preparado porque nunca se sabe qué va a pasar. Un minuto puede hacer buen tiempo con un calor y un sol insoportables. Así al salir todos llevan shorts, camisetas y gafas de sol. Cuando de repente, al siguiente minuto, todo cambia y empieza a soplar un viento fresco, se nubla y empieza a llover muy fuerte. Entonces, la gente guarda sus gafas de sol y abre sus paraguas. Todos buscan dónde meterse para no mojarse porque ni los impermeables protegen de este aguacero. A veces, se acaba tan rápido como empieza, y todo queda tranquilo y limpio. Vuelve a salir el sol.

Actividad 4 ¿Comprendiste?

¿Cierto o falso? Si la oración es falsa, corrígela.

1. __C__ La mejor estación para visitar Puerto Rico es el invierno.

2. __F__ Siempre hace el mismo tiempo en las montañas que en el resto de la isla.
   Por la noche, en las montañas hace mucho fresco.

3. __F__ Llueve tres veces por semana.
   Llueve todos los días.

4. __C__ El tiempo en Puerto Rico cambia muy rápidamente.

5. __F__ Cuando empieza a llover, las tormentas duran siempre varios días.
   Llueve sólo por un rato.

GRAMÁTICA: DESCRIPCIÓN DEL TIEMPO

ACTIVIDAD 5 El tiempo

Termina la oración subrayando la descripción del tiempo apropiada.

1. A Elsa le gusta el invierno. Lleva bufandas cuando (llueve/hace frío).
2. En el trópico, (nieva/llueve) todos los días.
3. Lupita siempre lleva su paraguas cuando (hace buen tiempo/está nublado).
4. Luis siempre lleva shorts, una camiseta y una gorra cuando (llueve/hay sol).
5. Ellos prefieren no salir de casa cuando (hace buen tiempo/hace mal tiempo).

ACTIVIDAD 6 El trópico y el tiempo

Escribe estas palabras en orden y usa el verbo correctamente para formar una oración.

1. en / hacer / durante / el / mucho / verano / el / calor / Caribe
   Durante el verano, hace mucho calor en el Caribe.
2. la / de / en / isla / Rico / Puerto / nevar / no
   En la isla de Puerto Rico, no nieva.
3. gente / estar / nublado / cuando / paraguas / sus / la / llevar
   Cuando está nublado, la gente lleva sus paraguas.
4. tropical / días / los / llover / el / en / todos / bosque
   En el bosque tropical, llueve todos los días.
5. general / lo / por / mucho / de / una / antes / viento / tormenta / hay
   Por lo general, hay mucho viento antes de una tormenta.

ACTIVIDAD 7 Mi estación favorita

Escribe el nombre de tu estación del año favorita. Escribe las condiciones meteorológicas que la identifican y las actividades que haces en esa clase de tiempo.

Answers will vary.

Unidad 3 Etapa 3 CUADERNO Para hispanohablantes

Nombre ______________________ Clase ____________ Fecha ____________

GRAMÁTICA: EXPRESIONES CON *tener*

ACTIVIDAD 8 ¿Lógico o ilógico?

Escribe **L** (lógico) o **I** (ilógico) al lado de estas oraciones de acuerdo con la situación. Si alguna de las oraciones es ilógica, cambia la expresión con **tener**.

1. __I__ Pablo lleva una bufanda cuando tiene calor.
Pablo lleva una bufanda cuando tiene frío.

2. __I__ Mario y Marta tienen frío cuando ven películas de terror.
Mario y Marta tienen miedo cuando ven películas de terror.

3. __L__ Discúlpame, no puedo hablar contigo ahora porque tengo prisa.
____

4. __I__ Tienes cuidado. Hace un calor insoportable.
Tienes razón. Hace un calor insoportable.

5. __I__ Los niños tienen mucha suerte porque ya son las once de la noche.
Los niños tienen mucho sueño porque ya son las once de la noche.

ACTIVIDAD 9 Oraciones incompletas

Termina las oraciones con una de estas expresiones. Usa cada expresión sólo una vez.

tener calor · tener frío · tener miedo · tener suerte · tener prisa · tener cuidado · tener sueño · tener razón

1. Hoy llevo un abrigo porque __tengo frío__.

2. A Nora no le gusta comprar boletos de lotería, porque no __tiene suerte__.

3. __Tienes razón__. Conozco el restaurante del que hablas. Es súper bueno.

4. Aurelio y Teresa __tienen prisa__, porque no quieren llegar tarde.

5. Durante el verano, llevamos shorts y camisetas porque __tenemos calor__.

6. Es importante __tener cuidado__ cuando uno maneja un coche.

7. Es muy tarde y ustedes tienen que levantarse temprano. ¿No __tienen sueño__?

Nombre ______________________ Clase ______________ Fecha ______________

GRAMÁTICA: COMPLEMENTOS DE OBJETO DIRECTO

Actividad 10 Preguntas

Señala con un círculo el objeto directo en estas preguntas.

1. ¿Siempre cierras la puerta con llave?
2. ¿María practica deportes todos los fines de semana?
3. Entre el calor y el frío, ¿ustedes prefieren el frío?
4. ¿Arturo y Graciela siempre ganan el primer lugar en concursos de baile?
5. ¿Marcelina alquila el video «El norte» con mucha frecuencia?

Actividad 11 Preguntas detalladas

Señala con un círculo el pronombre que puede reemplazar al objeto directo en las mismas preguntas.

1. ¿Siempre cierras la puerta con llave? (la/lo)
2. ¿María practica deportes todos los fines de semana? (las/los)
3. Entre el calor y el frío, ¿ustedes prefieren el frío? (la/lo)
4. ¿Arturo y Graciela siempre ganan el primer lugar en concursos de baile? (la/lo)
5. ¿Marcelina alquila el video «El norte» con mucha frecuencia? (la/lo)

Actividad 12 Respuestas

Ahora, escribe la respuesta a las preguntas de la Actividad 11 usando los pronombres de objecto directo adecuados correctamente.

1. Sí, siempre la cierro con llave.
2. Sí, los practica todos los fines de semana.
3. Sí, lo preferimos.
4. Sí, siempre lo ganan en concursos de baile.
5. Sí, lo alquila con mucha frecuencia.

GRAMÁTICA: PRESENTE PROGRESIVO

13 Oraciones truncadas

está haciendo estás hablando estoy escribiendo está comiendo estamos preparando están oyendo

Termina las oraciones usando las expresiones de la caja.

1. Sofía Elena tiene mucha hambre y está comiendo.
2. Ángel, ¿con quién estás hablando por teléfono?
3. No comas dulces. Tu hermana y yo ya estamos preparando la comida.
4. No puedo hablar contigo ahora. Estoy escribiendo una carta a tu abuelita.
5. Si vas a salir, usa una bufanda porque está haciendo mucho frío.

14 Oraciones compuestas

Llegas solo(a) a una fiesta en casa de un amigo y él te pregunta dónde están tus otros(as) amigos(as). Éstas son tus respuestas.

modelo: José María / estudiar José María está estudiando.

1. Regina Eugenia / leer una novela
   Regina Eugenia está leyendo una novela.
2. Gerardo y Dagoberto / hacer ejercicio
   Gerardo y Dagoberto están haciendo ejercicio.
3. Anselmo y Claudia Estela / practicar para un concurso de baile
   Anselmo y Claudia Estela están practicando para un concurso de baile.
4. María Guadalupe y Lola / oír música
   María Guadalupe y Lola están oyendo música.
5. Salvador / jugar al tenis con Óscar
   Salvador está jugando al tenis con Óscar.

15 Descripciones

Describe lo que está pasando en estos dibujos usando el presente progresivo.

1. Están jugando al tenis.
2. Está nevando.
3. Está escribiendo.

Unidad 3 Etapa 3
CUADERNO Para hispanohablantes

ESCRITURA

ACTIVIDAD 16 Asociaciones

La lectura de esta etapa trata del tiempo en el trópico. Describe el tiempo en Puerto Rico durante el mes de febrero en la primera columna. ¿Existen las mismas condiciones en toda la isla? Al lado de cada descripción de tiempo, haz una lista de la ropa que la gente lleva en esa clase de tiempo. **Answers will vary.**

El tiempo	La ropa
______________	______________
	______________
______________	______________
	______________
______________	______________
______________	______________
	______________
______________	______________
	______________

ACTIVIDAD 17 Una carta

Uno(a) de tus amigos(as) quiere ir a Puerto Rico este invierno. Escríbele una carta a tu amigo(a) en que le dices qué ropa necesita llevar para estar preparado(a) para toda clase de tiempo en la isla. **Answers will vary.**

____

____

____

____

____

____

____

____

Nombre ______________________ Clase ______________ Fecha ______________

CULTURA

Actividad 18 También se dice

Adivina de dónde puede ser la persona que diría estas oraciones o frases.

1. ¡Qué monas son tus gafas de sol! (Perú/**Puerto Rico**/México)
2. Generalmente, a mí me gusta llevar playeras. (Argentina/Cuba/**México**)
3. Durante el verano, ella siempre lleva lentes de sol, una camiseta y pantalonetas. (**Colombia**/Chile/España)
4. ¡Qué linda polera lleva Juan Antonio hoy! (México/**Chile**/Puerto Rico)
5. Los pantalones cortos que lleva María Teresa son más bonitos que los míos. (Chile/Ecuador/**México**)

Actividad 19 ¿Conoces otro nombre?

Hay muchas culturas en el mundo hispanohablante y por eso hay varias formas de referirse a la misma cosa. ¿Conoces otro nombre para estas cosas? **Answers will vary.**

1. un gorro ______________________
2. unas sandalias ______________________
3. unos guantes ______________________
4. un abrigo ______________________
5. una bufanda ______________________

Actividad 20 La historia de Puerto Rico

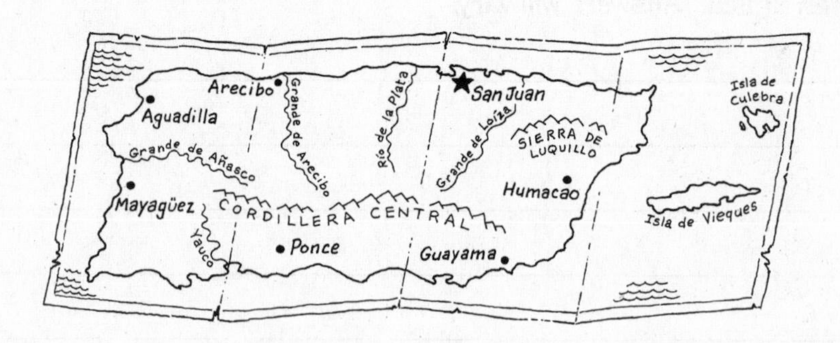

Trabajando con uno(a) o dos compañeros(as), prepara un cartel que explica un evento de la historia de Puerto Rico: por ejemplo la llegada de los taínos.

Nombre ______________ Clase ______________ Fecha ______________

1 ¿Qué deben llevar?

Estudiante A

Ask your partner what clothes you need to take to Puerto Rico in January. Write down your partner's answers. Then, answer your partner's question about what clothes he (she) needs to take skiing. Answer with the items in the box below.

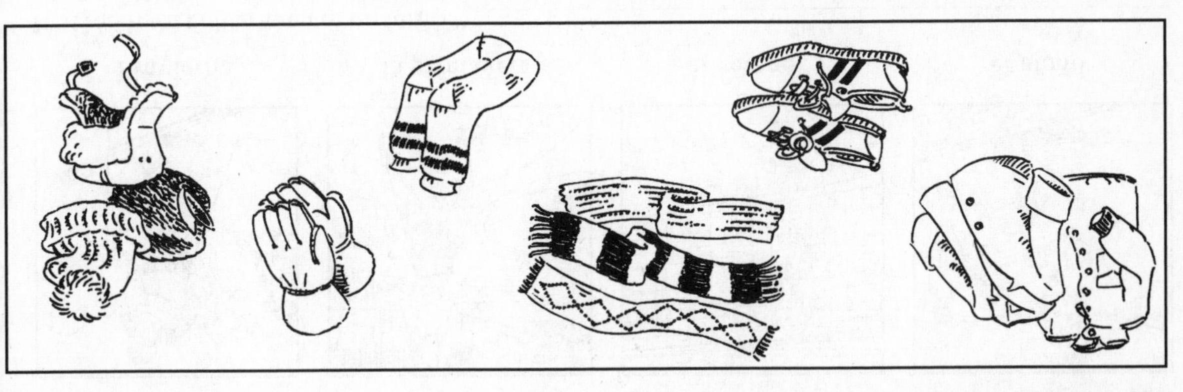

¿Qué ropa necesito llevar a Puerto Rico en enero?

______________________ ______________________

______________________ ______________________

______________________ ______________________

Estudiante B

Answer your partner's question about what clothes he (she) would need in Puerto Rico in January. Answer with the items in the box below. Then, ask your partner what clothes you would need to take skiing. Write down the answers.

¿Qué ropa necesito llevar para esquiar?

______________________ ______________________

______________________ ______________________

______________________ ______________________

Nombre ______________________ Clase ______________ Fecha ______________

2 ¿Qué les gusta hacer?

Estudiante A

Answer your partner's questions about Jimena according to the drawings you have. Then ask your partner what Gilberto likes to do on his vacations throughout the year. Write down your partner's answers.

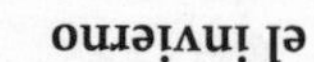

el invierno

la primavera

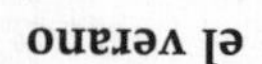

el verano

el otoño

1. ¿Qué hace Gilberto en el invierno? ______________________

2. ¿Qué le gusta hacer en el otoño? ______________________

3. ¿Qué hace en la primavera? ______________________

4. ¿Qué le gusta hacer en el verano? ______________________

Estudiante B

Ask your partner what Jimena likes to do on her vacations throughout the year. Write down your partner's answers. Then, answer your partner's questions about Gilberto according to the drawings you have.

el invierno

la primavera

el verano

el otoño

1. ¿Qué le gusta hacer a Jimena en el verano? ______________________

2. ¿Qué hace en el otoño? ______________________

3. ¿Qué le gusta hacer en el invierno? ______________________

4. ¿Qué hace en la primavera? ______________________

Nombre ____________ Clase ____________ Fecha ____________

3 ¿Adónde van?

Estudiante A

Ask your partner where Marco Antonio, Marisol, and Juanita like to spend their vacations. Write down your partner's answers. Then, answer his or her questions using the drawings below.

Luis

Sergio

María de la Luz

1. ¿Adónde le gusta ir a Marco Antonio para sus vacaciones? ____________

2. ¿Adónde va siempre Marisol para sus vacaciones? ____________

3. ¿Adónde le gusta ir a Juanita para sus vacaciones? ____________

Estudiante B

Answer your partner's questions using the drawings below. Then, ask your partner where Luis, Sergio, and María de la Luz like to spend their vacations. Write down your partner's answers.

Marco Antonio

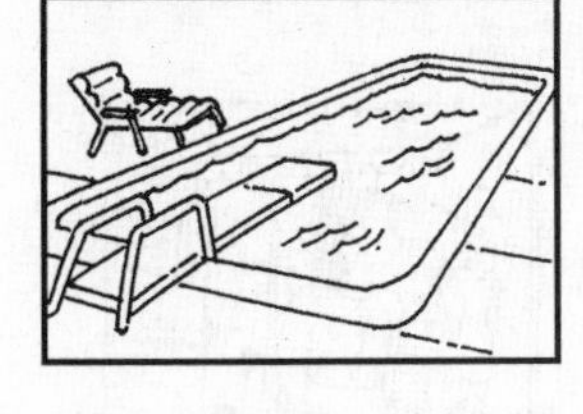

Marisol

Juanita

1. ¿Adónde va Luis para sus vacaciones? ____________

2. ¿Adónde le gusta ir a Sergio para sus vacaciones? ____________

3. ¿Adónde va María de la Luz para sus vacaciones? ____________

4 ¿Qué llevan?

Estudiante A

Your partner will ask you about the clothes and accessories that the people in these drawings are wearing. Answer according to what you see in the drawings. Then, ask your partner your set of questions and write down your partner's answers.

Ramona

Roberto

Rosa María

1. Cuando hay viento, ¿qué le gusta llevar a Estela? ______

2. Cuando está nublado, ¿qué le gusta llevar a Diana? ______

3. Cuando hace fresco, ¿qué le gusta llevar a Juan Alberto? ______

Estudiante B

Ask your partner about the clothes and accessories the people in his or her set of drawings are wearing. Write down his or her answers. Then, answer his or her questions referring to the drawings you have.

Juan Alberto

Diana

Estela

1. Cuando hay sol, ¿qué le gusta llevar a Rosa María? ______

2. Cuando hace frío, ¿qué le gusta llevar a Roberto? ______

3. Cuando hace mal tiempo, ¿qué le gusta llevar a Ramona? ______

Nombre ______________________ Clase ______________ Fecha ______________

LAS ESTACIONES DEL AÑO

Interview a family member about his or her likes and dislikes. Find out what season he or she likes most.

- First, explain to him or her what your assignment is.
- Then, ask him or her the question below.
  ¿Qué estación te gusta más?
- Don't forget to model the pronunciation of the seasons' names so that he (she) feels comfortable saying them in Spanish. Point to the name of each season as you say the word.
- After you get the answer, complete the sentence at the bottom of the page.

¿el invierno?

¿la primavera?

¿el verano?

¿el otoño?

A ______________________ le gusta ____.

Nombre ______ Clase ______ Fecha ______

¿NECESITAS ROPA NUEVA?

Work with a family member. Find out if he or she needs to buy any new clothes.

- First, explain to him or her what your assignment is.
- Then, ask the question below, adding to it the name of an article of clothing drawn in the box.
  modelo: ¿Necesitas un abrigo?
- Don't forget to model the pronunciation of the name of the article of clothing so that he (she) feels comfortable speaking Spanish. Point to the name of each article of clothing as you say the word. The answers might be:
  modelo: Sí, necesito... or No, no necesito...
- After you get an answer, finish the shopping list at the bottom of the page.

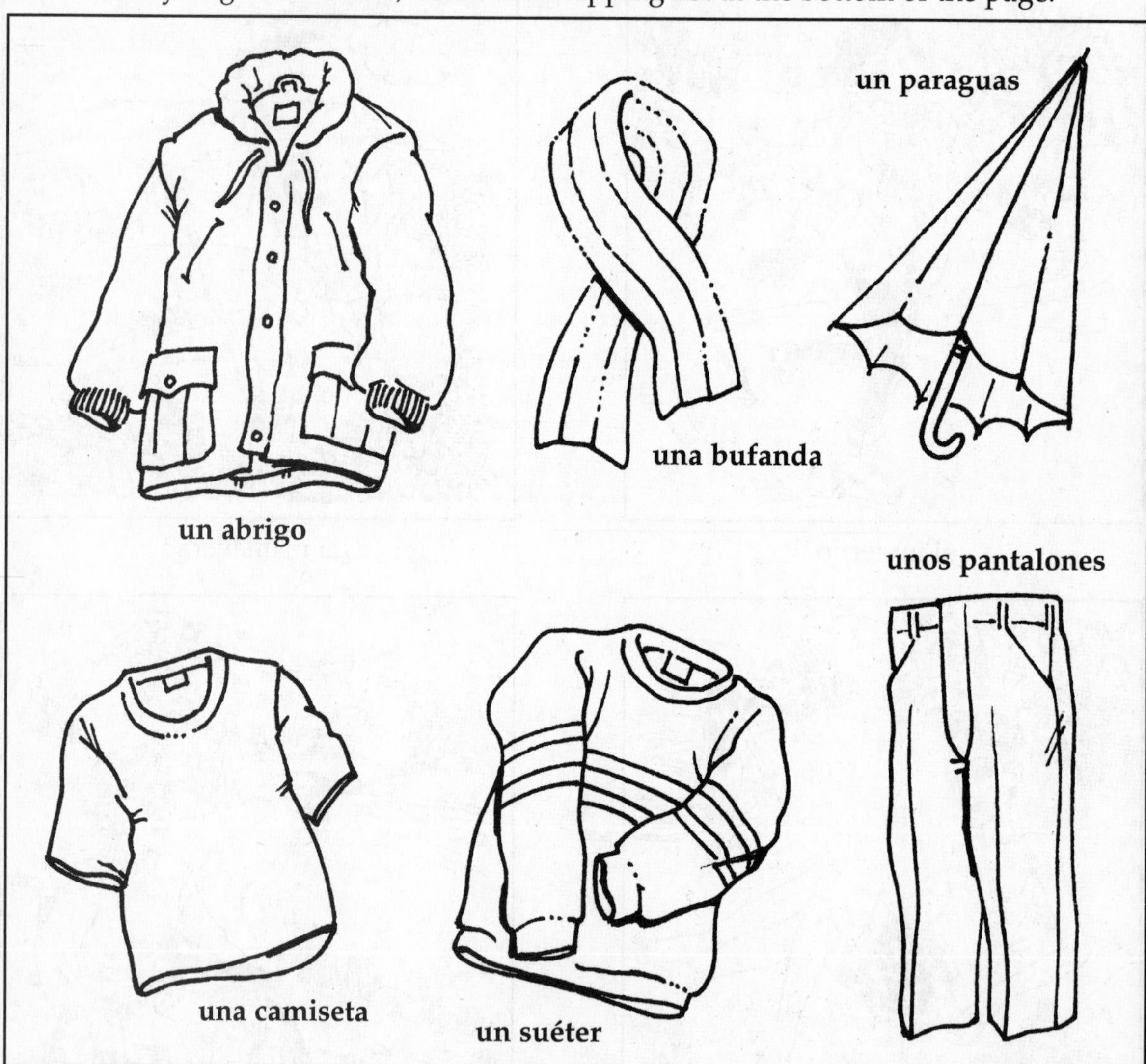

______ necesita comprar ______

______

______

EN CONTEXTO: VOCABULARIO

ACTIVIDAD 1 ¿Cierto o falso?

Watch the **En contexto** section of the video before you do **Actividades 1 and 2.** Pay close attention to the images in the pictures that Roberto shows to his friends. Circle **C** for **cierto** (true) and **F** for **falso** (false).

C F **1.** La mamá de Roberto usa su paraguas cuando llueve.

C F **2.** Roberto necesita traje de baño porque hace calor en Puerto Rico.

C F **3.** En la foto, la amiga de Roberto lleva gafas porque tiene frío.

C F **4.** La mamá de Roberto tiene un abrigo de cuadros.

C F **5.** La amiga de Roberto lleva unos shorts verdes.

C F **6.** En la foto, Roberto lleva un abrigo cuando trabaja en la nieve.

C F **7.** Roberto no lleva gorro en la foto.

C F **8.** La mamá de Roberto y su hermana caminan con el paraguas.

ACTIVIDAD 2 El intruso

Circle the item that does not belong because of its meaning.

1. un abrigo, una bufanda, un gorro, una camiseta

2. las gafas de sol, el traje de baño, la bufanda, los shorts

3. la planta, el mar, la flor, el árbol

4. nevar, el bosque, el mar, la playa

5. hace frío, llueve, hace calor, hace mal tiempo

Nombre ______________________ Clase ______________ Fecha ______________

EN VIVO: DIÁLOGO

Before you watch the **En vivo** section of the video for this **etapa**, read these activities to become familiar with the information you need to look for. Then, do the activities.

¿Cierto o falso?

Circle **C** for **cierto** (true) and **F** for **falso** (false). Correct the sentences that are false.

C F **1.** A Diana no le gusta la ropa de invierno de Roberto.

____

C F **2.** En el verano, hace el mismo tiempo en Minneapolis que en Puerto Rico.

____

C F **3.** En Puerto Rico, todos necesitan abrigos y bufandas.

____

C F **4.** Roberto no quiere ir al bosque.

____

C F **5.** Ignacio necesita ir al bosque.

____

Y después ¿qué pasa?

The following statements describe what Diana, Ignacio, and Roberto did in **En vivo**. Put them in order by renumbering them.

______ **1.** Diana, Ignacio y Roberto sacan y ven la ropa de invierno de Roberto.

______ **2.** Empieza a llover.

______ **3.** Ignacio saca fotos de las plantas, los árboles y las flores.

______ **4.** Llegan a El Yunque.

______ **5.** Hablan del tiempo en Minneapolis.

______ **6.** Diana explica por qué Ignacio quiere ir a El Yunque.

______ **7.** Juegan con la ropa de Roberto.

______ **8.** Roberto habla de la ropa que necesita para el verano.

______ **9.** Ignacio habla solo en el bosque por un momento.

______ **10.** Roberto quiere ir a El Yunque.

En contexto, Pupil's Edition
Level 1 pages 214–215
Middle School pages 246–247

Video Program Videotape 3/Videodisc 2A
17:48

Search Chapter 6, Play to 7
U3E3 • En contexto (Vocabulary)

Roberto: Aquí en Puerto Rico normalmente hace buen tiempo. ¿Qué tiempo hace donde vives tú?

Ignacio: ¿Qué tiempo hace en Minneapolis?

Roberto: Pues depende del mes. El tiempo cambia mucho. Por ejemplo, en el verano, hace mucho calor. Y hay sol.

Diana: ¿Quién es la muchacha de la camisa con rayas y las gafas de sol?

Roberto: ¿Ella? Es sólo una amiga... En el invierno hay mucha nieve.

Diana: ¿Llueve en el invierno?

Roberto: No, llueve más en el verano.

Ignacio: ¡Mira a tu mamá con el paraguas de cuadros!

Roberto: A ella le gusta caminar bajo la lluvia.

Ignacio: ¿Y cómo es el invierno?

Roberto: El invierno es horrible. Nieva mucho. La temperatura baja hasta bajo cero. Hace un frío ¡tremendo! El muchacho con el abrigo, la bufanda y el gorro, ... pues ... ¡soy yo!

Ignacio: Pues, ahora Roberto va a necesitar traje de baño, ¡para ir a la playa y nadar en el mar! Aquí nadie usa abrigo.

Diana: Aquí en Puerto Rico, hace fresco en el bosque, y llueve mucho. Pero nunca, ¡nunca hace frío! Los árboles, las plantas y las flores necesitan la lluvia. Pero generalmente, hay mucho sol.

Roberto: ¡Qué feliz estoy! Vivir sin frío otra vez. ¡Adiós bufanda! ¡Adiós gorro! ¡Adiós invierno!

En vivo, Pupil's Edition
Level 1 pages 216–217
Middle School pages 248–249

Video Program Videotape 3/Videodisc 2A
20:06

Search Chapter 7, Play to 8
U3E3 • En vivo (Dialogue)

Diana: ¡Qué mona tu bufanda! Me gusta tu gorro. ¿Hace mucho frío en Minneapolis?

Roberto: En el invierno, sí, ¡hace mucho frío! ¡Brrr! Tengo frío cuando pienso en los inviernos de Minneapolis. Los detesto.

Diana: ¿Nieva mucho?

Ignacio: Diana ¡qué pregunta! Claro que nieva mucho en Minnesota.

Diana: Pues, yo no sé.

Roberto: Bueno, en el invierno, nieva casi todas las semanas. Pero en verano, es como aquí. Hace mucho calor.

Ignacio: ¿Y qué vas a hacer con este abrigo? ¿Y con toda esta ropa de invierno? Aquí nadie la necesita.

Roberto: Tienes razón. Voy a necesitar shorts, trajes de baño y gafas de sol.

Diana: ¡Ay! Pues ya tienes ropa de verano.

Roberto: Claro que la tengo. ¡En Minneapolis no es invierno todo el año!

Roberto: ¡Qué día bonito! Hace muy buen tiempo. ¿Sabes qué, Ignacio? Tengo muchas ganas de ir a El Yunque.

Ignacio: ¡Perfecto!

Roberto: ¿Por qué perfecto?

Diana: Perfecto porque el proyecto de Ignacio para el concurso es sobre el bosque tropical. Y está preparando el proyecto este mes.

Ignacio: Sí, y necesito sacar fotos del bosque. Y las quiero sacar hoy mismo.

Roberto: ¡Qué chevere! Tengo suerte, ¿no lo creen? ¡Yo los acompaño con mucho gusto! ¡Vamos a El Yunque!

Diana: Creo que sí. Creo que tienes mucha suerte.

Ignacio: Tengo prisa. Es buena hora para sacar fotos porque hay sol. ¡Tenemos que ir ahora mismo a El Yunque! ¡Avancen!

Ignacio: ¡Qué bonito! Los árboles, las flores...

Roberto: Sí, muy bonita.

Ignacio: No es como Minneapolis, ¿verdad, Roberto?

Roberto: Tienes razón, Ignacio. No es para nada como Minneapolis.

Ignacio: Mi proyecto va a estar bien chévere, ¿no creen?

Ignacio: ¿No creen? ¿Dónde está el paraguas? Lo necesito.

Ignacio: Sí, Ignacio, creo que tu proyecto va a ser muy impresionante.

Ignacio: ¡Está lloviendo! ¡Y no tengo paraguas!

Roberto: Te estamos esperando, hombre.

En colores: Cultura y comparaciones

Video Program Videotape 3/Videodisc 2A
25:36

Search Chapter 8
U3E3 • En colores (Culture) • English
U3E3 • En colores (Culture) • Spanish

What geographical feature has had the greatest impact on the history of Puerto Rico? The simple fact that as an island, it is surrounded by water.

Long before the arrival of Christopher Columbus, the first inhabitants of the island arrived by canoe. These inhabitants were called Taínos, and they depended on the ocean for food and other necessities.

Christopher Columbus came upon the island of Puerto Rico in 1493, during his second voyage. During the colonial years, Puerto Rico was very important to the Spanish. To defend their interests against pirates and other nations, the Spanish built several forts overlooking the ocean. One fort, called El Morro, overlooks the Atlantic Ocean from San Juan.

Nowadays, the most important business for the island of Puerto Rico is tourism. Puerto Rico is an ideal vacation destination for the tourist that wants to swim, water-ski, scuba-dive, fish, or surf.

The waters of the Atlantic and the Caribbean have had a profound impact on the history of the island, know locally as Borinquen. This importance is reflected in the verses of the Puerto Rican anthem: «Es Borinquen la hija, la hija del mar y el sol, del mar y el sol».

En contexto, Pupil's Edition
Level 1 pages 214–215
Middle School pages 246–247

Disc 9 Track 1

Roberto has experienced all kinds of weather in Minnesota and Puerto Rico. Take a look at the pictures in his scrapbook to understand the meaning of the words in blue. This will also help you answer the questions on the next page.

A ¿Qué tiempo hace en Minnesota? En el invierno hace mal tiempo. ¡Hace frío y hay mucha nieve! Cuando va a nevar, necesitas un gorro, una bufanda y un abrigo.

B Cuando va a llover, necesitas un paraguas. A la madre de Roberto le gusta caminar bajo la lluvia con su paraguas de cuadros.

C En Puerto Rico, en el verano hace calor. Cuando hay sol, es divertido ir a la playa y nadar en el mar.

D La chica lleva una camisa con rayas. Es verano.

E Estas gafas de sol son para el verano.

F En el bosque tropical El Yunque, hay árboles, plantas y flores muy interesantes.

En vivo, Pupil's Edition
Level 1 pages 216–217
Middle School pages 248–249

Disc 9 Track 2

¡Qué tiempo!

Diana: ¡Qué mona tu bufanda! Me gusta tu gorro. ¿Hace mucho frío en Minneapolis?

Roberto: En el invierno, sí, ¡hace mucho frío! ¡Brrr! Tengo frío cuando pienso en los inviernos de Minneapolis.

Diana: ¿Nieva mucho?

Roberto: Bueno, en el invierno, nieva casi todas las semanas. Pero en verano, es como aquí. Hace mucho calor.

Ignacio: ¿Qué vas a hacer con toda esta ropa de invierno? Aquí nadie la necesita.

Roberto: Tienes razón. Voy a necesitar shorts, trajes de baño y gafas de sol.

Diana: ¡Ay! Pues, ya tienes ropa de verano.

Roberto: Claro que la tengo. ¡En Minneapolis no es invierno todo el año!
¡Qué día bonito! Hace muy buen tiempo. Tengo ganas de ir a El Yunque.

Diana: Perfecto, porque el proyecto de Ignacio para el concurso es sobre el bosque tropical. Y está preparando el proyecto este mes.

Ignacio: Sí, y necesito sacar fotos del bosque. Y las quiero sacar hoy mismo.

Roberto: Tengo suerte, ¿no lo creen?

Diana: Creo que tienes mucha suerte.

Ignacio: Tengo prisa. Es buena hora para sacar fotos porque hay sol. ¡Qué bonito! Los árboles, las flores…

Roberto: Sí, muy bonita.

Ignacio: No es como Minneapolis, ¿verdad, Roberto?

Roberto: Tienes razón, Ignacio.

Ignacio: Mi proyecto va a estar bien chévere, ¿no creen?... ¿No creen?...
Sí, Ignacio, creo que tu proyecto va a ser muy impresionante.
¡Está lloviendo! ¡Y no tengo paraguas!

Roberto: Te estamos esperando, hombre.

En acción, Pupil's Edition
Level 1 pages 221, 225
Middle School pages 255, 261

Disc 9 Track 3

Actividad 6/7 El tiempo

Escuchar Listen to the descriptions. What season is it in each case?

1. Hace fresco. Llueve mucho. Las flores son bonitas.

2. Hace mucho frío. Nieva. Quiero patinar sobre hielo.

3. Hace frío y hay mucho viento. Es divertido ir a un partido de fútbol americano.

4. Hace calor. La temperatura es de noventa grados. Voy a la piscina.

Disc 9 Track 4

Actividad 17/17 ¿Qué pasa?

Escuchar Listen to the conversation, and then decide if the sentences are true or false.

María: ¡Hola, Raúl! Llueve mucho, ¿verdad?
Raúl: Sí. Yo veo la televisión cuando llueve.
María: Yo también la veo, pero no es mi actividad favorita. Prefiero leer unas revistas.
Raúl: A mí también me gusta leer revistas. A veces las leo cuando llueve.
María: Me gusta caminar en la lluvia.
Raúl: ¿Llevas paraguas?
María: No, no lo llevo.
Raúl: ¡Ay! Cuando quiero nadar, ¡voy a la playa!
María: ¡Buena idea! ¿Va a llover mañana?
Raúl: Creo que no.
María: Entonces, ¿vamos a la playa? Tengo muchas ganas de nadar.
Raúl: Sí. Pero tengo que comprar gafas de sol. Las necesito para ir a la playa.
María: ¿Necesito llevar bronceador?
Raúl: No. Yo lo tengo.

Pronunciación Level 1 page 227 Middle School page 263

Disc 9 Track 5

Trabalenguas

Pronunciación de la j <jota> y la g <ge> The letter **j** is pronounced somewhat like the *h* in the English word *hope,* but a bit stronger. Before the letters **e** and **i,** the Spanish **g** is pronounced just like the **j.** Listen to this tongue twister, then try it yourself to practice.

«Ji, ji, ji» ríen Javier y Jorge cuando miran a Jazmín la jirafa ingerir jarabe.

En voces, Pupil's Edition Level 1 pages 228–229

Disc 9 Track 6

El coquí

No muy lejos de San Juan está el Bosque Nacional del Caribe. En este bosque tropical, El Yunque, hay animales y plantas que no ves en nunguna otra parte del mundo. El coquí, el animal más conocido de todo Puerto Rico, vive protegido en El Yunque.

El coquí es una rana de tamaño pequeño que vive en los árboles. Los coquíes son de diferentes colores. Hay coquíes grises, marrones, amarillos y verdes. Reciben su nombre por su canto característico. Hay 16 especies de coquíes en Puerto Rico, pero sólo dos producen el canto típico «coquí». Dos están en peligro de extinción. Casi todos los coquíes empiezan a cantar cuando llega la noche.

Si visitas Puerto Rico, vas a ver imágenes del coquí en muchos lugares — en nombres de tiendas, artículos de promoción y libros. La tradición puertorriqueña es que si ves un coquí vas a tener mucha suerte. Y si quieres tener un bonito recuerdo de Puerto Rico es posible comprar un coquí verde de juguete, símbolo de la isla.

Resumen de la lectura

Disc 9 Track 7

El coquí

El coquí, una rana de diferentes colores, vive protegido en El Yunque. Hay 16 especies del coquí y dos de ellas están en peligro de extinción. Si visitas Puerto Rico y ves un coquí, la tradición puertorriqueña dice que vas a tener mucha suerte. Y si no ves un coquí, puedes comprar un coquí verde de juguete.

Más práctica pages 73–74

Disc 9 Track 8

Actividad 1 Querido diario

Complete the following paragraph. Write the words you hear.

Narrator: Mis papás quieren pasar una semana en la casa de la montaña. Es noviembre y voy a necesitar un abrigo. En la montaña, hace mucho frío. En el invierno me gusta patinar sobre hielo en el lago, pero ahora es otoño. No hay hielo y si hay, no es suficiente para patinar. Tengo miedo de tener un accidente. Pero creo que ya hay nieve y mis hermanos tienen ganas de esquiar. También creo que va a nevar. Mi mamá está preparando las cosas ahora y tiene prisa porque nos vamos mañana. Bueno, es tarde y tenemos sueño.

Disc 9 Track 9

Actividad 2 ¿Qué ropa necesitan?

Listen to these people. They are all talking about doing something. Circle the article of clothing that would be appropriate for each activity mentioned.

1. Me gusta mucho esquiar.
2. Me gustaría nadar.
3. Hace mal tiempo; está lloviendo y quiero caminar.
4. En el verano, hay sol. Siempre me gusta ir a la playa.
5. Queremos jugar al tenis, y la temperatura está a 90 grados.

Disc 9 Track 10

Actividad 3 ¿Qué hay en la maleta?

Look at what is in the suitcase. Then answer the questions you hear by circling **sí** or **no.**

1. ¿Hay un traje de baño?
2. ¿Hay un gorro?
3. ¿Hay una chaqueta?
4. ¿Hay un paraguas?
5. ¿Hay una bufanda con rayas?
6. ¿Esta persona va a la playa para nadar?

Disc 9 Track 11

Actividad 4 ¿Qué prefieres?

Listen to the questions, then write your answers below.

1. ¿Qué prefieres: un paraguas con rayas o un paraguas de cuadros?
2. ¿Te gusta más bailar o correr?
3. ¿Tienes ganas de ir al cine o al lago hoy?
4. ¿Quieres ir al desierto o a la montaña? ¿Por qué?
5. ¿Qué estación prefieres? ¿Por qué?

Para hispanohablantes page 73

Disc 9 Track 12

Actividad 1 El sonido /x/

Hay diferentes formas de escribir el sonido /x/. Escucha con cuidado al narrador mientras él pronuncia las siguientes palabras. Subraya la sílaba en cada palabra que contiene el sonido de la categoría.

Javier, mojar, hija, baja, pelirroja, jalapeño

jefe, viejecita, ejercicio, mujer, generoso, geografía, inteligente

jirafa, jinete, gigante, gimnasio, girasol, gitano

Jorge, viejo, trabajo, hijo, ojo

jugar, juguete, junio

Disc 9 Track 13

Actividad 2 El uso

Ahora escribe las letras que les faltan a las siguientes palabras que el narrador va a pronunciar.

1. generosidad
2. inteligente
3. gimnasio
4. joven
5. ejercicio

6. gitana
7. julio
8. jarabe
9. geometría
10. trabaja

Etapa Exam Forms A & B page 137 and 142

Disc 19 Track 18

A Óscar and his family live in Chicago. They're planning to go to San Juan for New Years. Listen to Óscar talk about the trip. Then, write the letter of the correct answer on the line provided. **Strategy: Remember to read all the items before you listen so you know exactly what you're listening for.**

Examen para hispanohablantes page 147

Disc 19 Track 18

A Óscar y su familia viven en Chicago. Están planeando un viaje a San Juan para el Año Nuevo. Escucha lo que Óscar dice del viaje. Después, contesta estas preguntas.

Óscar: ¿Llevamos todo lo necesario? Necesitamos shorts, camisetas y trajes de baño. Ya tengo ganas de estar en la playa tomando el sol. ¡Qué chévere! Vamos a Borinquen. Tenemos mucha suerte porque no vamos a pasar esta semana con el frío de Chicago. En la ciudad de Chicago, está nevando y todos llevamos abrigos. Pero en estos momentos en Puerto Rico, hay mucho sol y creo que todos llevan shorts y camisetas. ¡Ah! ¿Tenemos bronceador? Hay que tener cuidado con el sol. Mamá tiene razón. En San Juan no vamos a necesitar abrigos, bufandas o gorros. Bueno... adiós invierno, adiós nieve y adiós frío.

Unit Comprehensive Test page 154

Disc 19 Track 19

A Listen to the phone conversation and fill in the blanks. **Strategy: Remember to focus. Concentrate on what you are doing. Listen for specific information.**

Sr. Montoya: Hola.
Carmen: Buenos días, señor Montoya. Soy Carmen. ¿Puedo hablar con Pedro?
Sr. Montoya: No está, pero regresa más tarde.
Carmen: ¿Sabe usted a qué hora regresa?
Sr. Montoya: A las seis. ¿Quieres dejar un mensaje?
Carmen: Sí, dígale que me llame, por favor.
Sr. Montoya: Está bien. Chao, Carmen.
Carmen: Gracias, señor Montoya, adiós.

Disc 19 Track 20

B Listen to the following statements. Based on the information you hear, write what sports these people know how to play. Use the verb **saber**.

1. Débora tiene una raqueta.
2. Nosotros tenemos trajes de baño.
3. Tienes un casco y un bate.
4. Arturo e Ignacio tienen patines.
5. Tengo pesas.

Disc 19 Track 21

C Listen to your friends tell what places they visit. Then write a sentence inviting them there. Use each of the three expressions for extending invitations at least once.

1. A Ignacio y Débora les gusta ir a la playa.
2. A mí me gusta ver partidos en el estadio.
3. A nosotros nos gusta nadar en el lago.
4. A José Ángel le gusta esquiar en las montañas.
5. A Luisa le gusta caminar en el bosque.

Prueba comprensiva para hispanohablantes page 162

Disc 19 Track 22

A Escribe las palabras o frases que escuchas. **Strategy: Remember to focus. Concentrate on what you are doing. Listen for specific information.**

1. acompañar
2. inteligente
3. nervioso
4. verano
5. otoño
6. pelirrojo
7. castaño
8. gorro
9. señorita
10. traje de baño

Disc 19 Track 23

B Escucha estos comentarios y decide si lo que está pasando es en el invierno, la primavera, el verano o el otoño. Escribe el número del comentario al lado del dibujo que corresponde a tu respuesta. Hay cinco comentarios.

1. Cuando Graciela va a ver partidos de fútbol americano, siempre lleva jeans y un suéter porque hace fresco.
2. A nosotros nos gusta ir a la playa cuando hace mucho calor y tenemos que llevar trajes de baño.
3. Ustedes siempre llevan pantalones y chaquetas cuando andan en patineta en el parque porque hace fresco.
4. Martín y Mauro necesitan llevar bufandas y abrigos cuando van a patinar sobre hielo.
5. Lupita y Jorge siempre llevan camisetas y shorts cuando van a ver partidos de fútbol porque hace mucho calor y hay mucho sol.

Midterm page 179

Disc 19 Track 24

A Alejandro is helping Claudio, a new student from Miami. Listen to their conversation, then choose the letter of the answer that best completes each sentence. **Strategy: Remember to use the process of elimination to reduce the number of possible correct answers to the questions.**

Alejandro: Oye, Claudio. ¿Tienes tu horario?

Claudio: Sí, aquí está.

Alejandro: Muy bien. Estás conmigo para la clase de historia a las ocho. Después tienes computación, matemáticas y música. Mmm... ¿Conoces a la señora López?

Claudio: No, no la conozco.

Alejandro: Es tu maestra de matemáticas. Va a ayudarte con todo. Es la mujer alta en el vestido negro. Voy a presentarte. Señora López, le presento a Claudio Martínez. Es un nuevo estudiante.

Sra. López: Mucho gusto, Claudio. ¿De dónde vienes?

Claudio: Soy de Miami.

Sra. López: ¡Bienvenido a San Antonio! Si necesitas algo, estoy aquí para ayudarte. ¡Hasta luego!

Alejandro: Ves. Es una señora muy amable. ¿Qué haces después de las clases?

Claudio: Nada. ¿Por qué?

Alejandro: ¿Quieres jugar al béisbol con nosotros?

Claudio: Sí. Me gusta mucho el béisbol. Gracias.

Alejandro: Perfecto. ¡Ay! ¿Qué hora es?

Claudio: La hora de la primera clase.

Alejandro: ¡Vamos! Hablamos más tarde del béisbol.

Nombre ______________________ Clase ______________ Fecha ______________

COOPERATIVE QUIZZES

Weather Expressions

Complete each sentence below with a logical weather expression.

1. En el invierno, Marisol necesita llevar bufandas y abrigos porque ______________________.

2. En la primavera, Marco Antonio juega mucho en el parque porque ______________________.

3. En el verano, Josefa y Hortensia van a tomar el sol a la playa porque ______________________.

4. En el otoño, Jorge y Joel siempre llevan suéteres y jeans porque ______________________.

5. ¡Mira! La Sra. Rodríguez lleva un paraguas porque ______________________.

Expressions with *tener*

Complete each of the following sentences with the most logical **tener** expression. Use the correct form of the verb.

1. Cecilia quiere su abrigo porque ______________________.

2. Victoria y Angélica van a ir al cine porque ______________________ ver una película.

3. A las once de la noche, ______________________ porque estoy cansado(a).

4. Tu clase empieza a las ocho y ya son las ocho menos cinco. ¿No ______________________?

5. Nuestra respuesta al problema es correcta. Nosotros ______________________.

Unidad 3 Etapa 3

Cooperative Quizzes

Nombre ______________________ Clase ______________ Fecha ______________

QUIZ 3 Direct Object Pronouns

Answer the following questions, using the correct direct object pronoun.

1. ¿María Elena va a sacar las fotos que necesita en Mayagüez?

   Sí, ____.

2. ¿Carlos Enrique y Luis Antonio toman el sol durante la semana?

   No, no ____.

3. ¿Antonieta y tú quieren comprar esos vestidos negros?

   Sí, ____.

4. ¿Quién tiene el bronceador?

   Nosotros ____.

5. Ustedes practican deportes cuando hace buen tiempo, ¿verdad?

   Sí, nosotros ____.

Present Progressive

Complete the following sentences using the present progressive of the verb in parentheses.

1. Tomás lleva un impermeable porque... (llover)

   ____

2. Luisa lleva un suéter cuando... (hacer fresco)

   ____

3. Yo llevo mi traje de baño porque... (tomar el sol)

   ____

4. El Yunque es tan bonito que Ana y Alejandro... (sacar muchas fotos)

   ____

5. Hay sol en el parque y Guillermo y yo... (jugar al fútbol)

   ____

Nombre ______ Clase ______ Fecha ______

Test-taking Strategy: Read directions carefully. Don't guess at what you think they want you to do. Make sure that you're doing what is asked.

ESCUCHAR

Tape 19 • SIDE B
CD 19 • TRACK 18

A. Óscar and his family live in Chicago. They're planning to go to San Juan for New Years. Listen to Óscar talk about the trip. Then, write the letter of the correct answer on the line provided. **Strategy: Remember to read all the items before you listen so you know exactly what you're listening for.** (10 points)

1. Óscar y su familia necesitan ______.

a. abrigos
b. camisetas
c. gorros
d. bufandas

2. Óscar y su familia no necesitan ______.

a. shorts
b. abrigos
c. camisetas
d. trajes de baño

3. Tienen suerte de ______.

a. vivir en Chicago
b. escapar del frío
c. vivir en Puerto Rico
d. comprar abrigos

4. En Chicago, ______.

a. hay sol
b. hace buen tiempo
c. está lloviendo
d. está nevando

5. En Puerto Rico, está haciendo ______.

a. tormenta
b. mal tiempo
c. sol
d. llover

Unidad 3 Etapa 3 Exam Form A

Nombre ______ Clase ______ Fecha ______

LECTURA Y CULTURA

Read what David Ricardo Correa Rodríguez wants to do. Then complete Activities B and C. **Strategy: Remember to distinguish details as you read.**

Me llamo David Ricardo Correa Rodríguez. Mi familia y yo somos de Puerto Rico y acabamos de llegar a Minnesota a vivir.

Es febrero y tengo ganas de ver Puerto Rico otra vez. Quiero caminar por las calles del Viejo San Juan y ver la famosa fortaleza El Morro. También quiero comer la comida típica, como el pernil y la pasta de guayaba con queso blanco.

Puerto Rico es un país tropical. Si hay sol, quiero tomar el sol en la playa y nadar en el mar. Si está nublado, prefiero ir de compras, pero si hace buen tiempo, quiero visitar el bosque y sacar muchas fotos de los árboles, las flores y las plantas. Si no llueve en el bosque, quiero subir una montaña.

Pero ahora, tengo frío porque hay mucho viento en Minnesota.

B. ¿Comprendiste? Read the following statements, and circle **C** for **cierto** (true) and **F** for **falso** (false). (10 points)

C F **1.** David Ricardo vive en San Juan.

C F **2.** David Ricardo quiere caminar si hay sol.

C F **3.** Si está nublado, David Ricardo quiere ir de compras.

C F **4.** Si llueve, David Ricardo quiere subir una montaña.

C F **5.** David Ricardo quiere sacar muchas fotos si hace buen tiempo.

C. ¿Qué piensas? Answer these questions. (10 points)

1. ¿David Ricardo prefiere Minnesota o Puerto Rico? ¿Por qué? ______

______

______

2. David Ricardo dice que Puerto Rico en un país tropical. ¿Qué tiempo hace en general? ______

______

______

Nombre ______________________ Clase ______________ Fecha ______________

VOCABULARIO Y GRAMÁTICA

D. Look at the scene and complete the sentences. **Strategy: Remember how you learned this vocabulary and grammar. Sometimes if you can recall the way in which you learned something, you can better remember what you learned.** (10 points)

1. Ingrid tiene ______________.
2. Tranh tiene ______________.
3. Tranh lleva una camiseta de ________.
4. Gilberto está ____________ un libro.
5. Steve lleva una camiseta y ________.
6. Bill está ____________ música.
7. Ingrid lleva un ______________.
8. Li tiene ______________.
9. ¡Lucía tiene ______________!
10. Rosalía lleva un ______________.

E. It's December, and the Spanish Club in your high school has organized a ski trip. Complete each of the following statements about this event using the most logical **tener** expression. (10 points)

1. Ernesto va a llevar su abrigo, unas bufandas y un gorro porque es invierno y él ______________.
2. Luisa y Toña van a llevar sus zapatos de nieve porque ______________ de caminar en la nieve.
3. Luis Antonio y yo queremos patinar sobre hielo pero ______________ de tener un accidente.
4. Tú y Manuel ______________. Estas vacaciones van a ser súper buenas.
5. Son las once y media y yo necesito estar en el aeropuerto al mediodía. Yo ______________.

Unidad 3 Etapa 3 — Exam Form A

Nombre ______________________ Clase ______________ Fecha ______________

F. Answer each of the following questions using the appropriate direct object pronoun. (10 points)

1. ¿Juan conoce la comida típica?

   Sí, ____.

2. ¿Gabriela lee los libros de García Márquez?

   Sí, ____.

3. ¿Juan quiere ver la famosa fortaleza?

   Sí, ____.

4. Está lloviendo. ¿Necesitas el paraguas?

   Sí, ____.

5. ¿Tú y Tito quieren ver las fotos de Puerto Rico?

   Sí, ____.

G. Imagine that you and your family are at home on a lazy afternoon. Write about it in your diary using the present progressive. Write complete sentences with the information from the box. (10 points)

leer una novela **oír música** **ver la televisión**
escribir en el diario **esperar a tía Juanita**

1. el abuelo

   ____

2. Marta y Josefina

   ____

3. tú y Martín

   ____

4. yo

   ____

5. nosotros

   ____

Unidad 3 Etapa 3 Exam Form A

ESCRITURA

H. On a separate sheet of paper, write a letter to a friend about the place that you would like to visit during your vacation.

- Say where, when, why, and with whom you are going.
- What will you wear?
- What will you do?

Strategy: Remember to use a table like the one below to help you organize your ideas. (15 points)

Detalles	
¿Dónde?	
¿Cuándo?	
¿Por qué?	
¿Con quién?	

¿Qué ropa vas a llevar?	¿Qué vas a hacer?

Writing Criteria	Scale
Vocabulary Usage	1 2 3 4 5
Accuracy	1 2 3 4 5
Organization	1 2 3 4 5

HABLAR

I. Answer your teacher's questions about the weather according to the chart. Use complete sentences. **Strategy: Remember to focus on the questions before you answer them.** (15 points)

1. ¿Qué tiempo hace en San Juan?
2. ¿Cuál es la temperatura en Los Ángeles?
3. ¿Hace buen tiempo en San Antonio?
4. ¿Dónde está lloviendo?
5. ¿Qué tiempo hace en Los Ángeles?

La meteorología

Hoy	Tiempo	Temperatura
San Juan		70°
Boston		60°
Los Ángeles		85°
San Antonio		110°

Speaking Criteria	Scale
Vocabulary Usage	1 2 3 4 5
Accuracy	1 2 3 4 5
Organization	1 2 3 4 5

Nombre ______ Clase ______ Fecha ______

Test-taking Strategy: Read directions carefully. Don't guess at what you think they want you to do. Make sure that you're doing what is asked.

ESCUCHAR

Tape 19 • SIDE B
CD 19 • TRACK 18

A. Óscar and his family live in Chicago. They're planning to go to San Juan for New Years. Listen to Óscar talk about the trip. Then, write the letter of the correct answer on the line provided. **Strategy: Remember to read all the items before you listen so you know exactly what you're listening for.** (10 points)

1. Óscar y su familia necesitan ______.

a. camisetas

b. abrigos

c. bufandas

d. gorros

2. Óscar y su familia no necesitan ______.

a. camisetas

b. trajes de baño

c. abrigos

d. shorts

3. Tienen suerte de ______.

a. comprar abrigos

b. vivir en Chicago

c. escapar del frío

d. vivir en Puerto Rico

4. En Chicago, ______.

a. está lloviendo

b. hay sol

c. está nevando

d. hace buen tiempo

5. En Puerto Rico, está haciendo ______.

a. llover

b. sol

c. tormenta

d. mal tiempo

Nombre ____________ Clase ____________ Fecha ____________

LECTURA Y CULTURA

Read what Ana María Gutiérrez Cano wants to do. Then complete Activities B and C.
Strategy: Remember to distinguish details as you read.

> Me llamo Ana María Gutiérrez Cano. Mis padres son de Puerto Rico. Yo soy de Portland en Maine, pero conozco Puerto Rico muy bien.
>
> Es febrero y tengo ganas de ver Puerto Rico otra vez. Quiero caminar por las calles del Viejo San Juan y ver la famosa fortaleza El Morro. También quiero comer la comida típica, como el pernil y la pasta de guayaba con queso blanco.
>
> Puerto Rico es un país tropical. Si hay sol, quiero tomar el sol en la playa y nadar en el mar. Si está nublado, prefiero ir de compras, pero si hace buen tiempo, quiero visitar el bosque y sacar muchas fotos de los árboles, las flores y las plantas. Si no llueve en el bosque, quiero subir una montaña.
>
> Pero ahora, tengo frío porque hay mucho viento en Maine.

B. ¿Comprendiste? Read the following statements, and circle **C** for **cierto** (true) and **F** for **falso** (false). (10 points)

C F **1.** Ana María vive en Maine.

C F **2.** Ana María quiere caminar si está lloviendo.

C F **3.** Si hay sol, Ana María quiere ir de compras.

C F **4.** Si no llueve en el bosque, Ana María quiere subir una montaña.

C F **5.** Ana María quiere sacar muchas fotos si hay viento.

C. ¿Qué piensas? Answer these questions. (10 points)

1. ¿Ana María prefiere Maine o Puerto Rico? ¿Por qué? ____________

____

____

2. Ana María dice que Puerto Rico es un país tropical. ¿Qué tiempo hace en general?

____

____

Unidad 3 Etapa 3 | Exam Form B

Nombre ______________________ Clase ______________ Fecha ______________

VOCABULARIO Y GRAMÁTICA

D. Look at the scene and complete the sentences. **Strategy: Remember how you learned this vocabulary and grammar. Sometimes if you can recall the way in which you learned something, you can better remember what you learned.** (10 points)

1. Gilberto está ______________ un libro.
2. Ingrid lleva un ______________.
3. Rosalía lleva un ______________.
4. Ingrid tiene ______________.
5. ¡Lucía tiene ______________!
6. Bill está ______________ música.
7. Tranh tiene ______________.
8. Tranh lleva una camiseta de ______________.
9. Steve lleva una camiseta y ______________.
10. Li tiene ______________.

E. It's December, and the Spanish Club in your high school has organized a ski trip. Complete each of the following statements about this event using the most logical **tener** expression. (10 points)

1. Luisa y Toña van a llevar sus zapatos de nieve porque ______________ de caminar en la nieve.
2. Ernesto va a llevar su abrigo, unas bufandas y un gorro porque es invierno y él siempre ______________.
3. Son las once y media y yo necesito estar en el aeropuerto al mediodía. Yo ______________.
4. Tú y Manuel ______________. Estas vacaciones van a ser súper buenas.
5. Luis Antonio y yo queremos patinar sobre hielo pero hay que ______________ o vamos a tener un accidente.

F. Answer each of the following questions using the appropriate direct object pronoun. (10 points)

1. ¿Tú y Tito quieren ver las fotos de Puerto Rico?

Sí, ______________________________.

2. Está lloviendo. ¿Necesitas el paraguas?

Sí, ______________________________.

3. ¿Gabriela lee los libros de García Márquez?

Sí, ______________________________.

4. ¿Juan quiere ver la famosa fortaleza?

Sí, ______________________________.

5. ¿Juan conoce la comida típica?

Sí, ______________________________.

G. Imagine that you and your family are at home on a lazy afternoon. Write about it in your diary using the present progressive. Write complete sentences with the information from the box. (10 points)

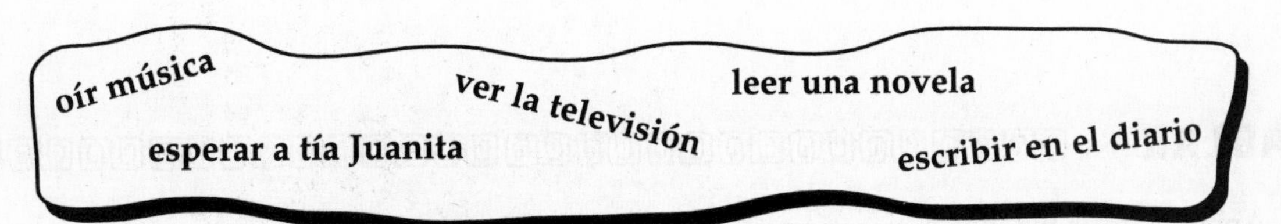

1. yo

____

2. nosotros

____

3. Marta y Josefina

____

4. el abuelo

____

5. tú y Martín

____

Unidad 3 Etapa 3 Exam Form B

ESCRITURA

H. On a separate piece of paper, write a letter to a friend about the place that you would like to visit during your vacation.

- Say where, when, why, and with whom you are going.
- What will you wear?
- What will you do?

Strategy: Remember to use a table like the one below to help you organize your ideas. (15 points)

Detalles	
¿Dónde?	
¿Cuándo?	
¿Por qué?	
¿Con quién?	

¿Qué ropa vas a llevar?	¿Qué vas a hacer?

Writing Criteria	Scale
Vocabulary Usage	1 2 3 4 5
Accuracy	1 2 3 4 5
Organization	1 2 3 4 5

HABLAR

I. Answer your teacher's questions about the weather according to the chart. Use complete sentences. **Strategy: Remember to focus on the questions before you answer them.** (15 points)

1. ¿Qué tiempo hace en El Paso?
2. ¿Cuál es la temperatura en San Antonio?
3. ¿Hace buen tiempo en Los Ángeles?
4. ¿Dónde está nevando?
5. ¿Qué tiempo hace en San Antonio?

La meteorología

Hoy	Tiempo	Temperatura
El Paso		65°
Boston		30°
Los Ángeles		85°
San Antonio		60°

Speaking Criteria	Scale
Vocabulary Usage	1 2 3 4 5
Accuracy	1 2 3 4 5
Organization	1 2 3 4 5

Test-taking Strategy: Read directions carefully. Don't guess at what you think they want you to do. Make sure that you're doing what is asked.

ESCUCHAR

Tape 19 • SIDE B
CD 19 • TRACK 18

A. Óscar y su familia viven en Chicago. Están planeando un viaje a San Juan para el Año Nuevo. Escucha lo que Óscar dice del viaje. Después, contesta estas preguntas. **Strategy: Remember to read all the items before you listen so you know exactly what you're listening for.** (10 puntos)

1. ¿Qué ropa necesitan Óscar y su familia?

____

____

2. ¿Qué es Borinquen?

____

____

3. ¿Qué tiempo hace en Chicago?

____

____

4. ¿Por qué necesitan bronceador?

____

____

5. ¿Por qué no necesitan abrigos en San Juan?

____

____

Nombre ____________________ Clase ____________ Fecha ____________

LECTURA Y CULTURA

Sara, una joven puertorriqueña, y su familia acaban de llegar a Boston. Es enero y hace frío. Todos los jóvenes de su comunidad van a patinar sobre hielo o a esquiar. Siempre invitan a Sara. Ella quiere ir con ellos, pero no sabe ni patinar sobre hielo ni esquiar, y no tiene la ropa necesaria.

Su mamá la lleva de compras al centro comercial. En una tienda, su mamá le enseña un suéter de lana con rayas, pero Sara prefiere otro más lindo. La mamá, emocionada, le muestra a Sara unos pantalones muy prácticos, pero Sara prefiere una falda. Al final del día, su mamá encuentra un abrigo muy bonito pero Sara prefiere otro, uno con rayas. Su mamá, ya cansada, acepta comprar el abrigo con rayas pero solamente si no compran la falda.

Sara termina sus compras con un gorro muy mono, una bufanda negra y unos guantes. Ya está lista para aprender a patinar sobre hielo.

B. **¿Comprendiste?** Marca con un círculo la respuesta correcta. **C** es **cierto** y **F** es **falso**. **Strategy: Remember to distinguish details as you read.** (10 puntos)

C F **1.** Es primavera.

C F **2.** Sara tiene ganas de patinar sobre hielo.

C F **3.** La mamá de Sara quiere comprar cosas prácticas, como pantalones.

C F **4.** Sara siempre piensa que su mamá tiene razón.

C F **5.** Sara también quiere una bufanda de cuadros.

C. **¿Qué piensas?** Contesta usando oraciones completas de acuerdo con la información de la lectura. (10 puntos)

1. Compara las cosas que quiere comprar Sara y las que quiere comprar su mamá.

____

____

____

2. Al final del día, ¿Sara está contenta? ¿Por qué?

____

____

____

VOCABULARIO Y GRAMÁTICA

D. Lee estos comentarios y haz un círculo alrededor de la L (Lógico) o la I (Ilógico). Corrige los comentarios ilógicos cambiando la ropa. **Strategy: Remember how you learned this vocabulary and grammar. Sometimes if you can recall the way in which you learned something, you can better remember what you learned.** (10 puntos)

L I **1.** Cuando Alejandro Vidal va a tomar el sol en julio lleva un abrigo.

____

L I **2.** En enero, Luisa lleva una bufanda y un gorro para patinar sobre hielo en el lago.

____

L I **3.** La Sra. Hernández camina mucho en la montaña en mayo y siempre lleva shorts.

____

L I **4.** Cuando Tomás Alberto tiene que caminar en la lluvia lleva un abrigo.

____

L I **5.** Bardo lleva un traje de baño cuando anda en patineta en el parque en noviembre.

____

E. Completa estas oraciones con las expresiones de **tener** apropiadas, conjugando el verbo correctamente. (10 puntos)

1. Anselmo tiene nueve años y cuando ve una película de terror _______________.

2. Daniela y Josefina siempre meriendan después de llegar de la escuela porque _______________.

3. Toño y yo llevamos nuestros abrigos y nuestras bufandas porque _______________.

4. Pepita y tú ya quieren ver nevar porque _______________ de esquiar.

5. José Ángel está haciendo su tarea, pero ya son las once y _______________.

F. Substituye el complemento de objeto directo por el pronombre apropiado y escribe la misma oración usándolo correctamente. (10 puntos)

1. Escribo la carta para el abuelo.
____
2. Papá quiere leer el periódico.
____
3. Felipe y Tomás ven la televisión por la tarde.
____
4. Tú siempre preparas las invitaciones cuando hay una fiesta.
____
5. Patricia y yo queremos oír los discos compactos de Luis Miguel.
____

G. Haz una oración con estas palabras usando el presente progresivo. (10 puntos)

1. Yo / escribir / la carta para el abuelo
____
2. Papá / leer / el periódico
____
3. Felipe y Tomás / ver / la televisión
____
4. Tú / preparar / las invitaciones para la fiesta
____
5. Patricia y yo / oír / los discos compactos de Luis Miguel
____

Nombre ______________________ Clase ______________ Fecha ______________

ESCRITURA

H. En una hoja de papel, escríbele una carta a un(a) amigo(a). Describe el lugar adonde quieres ir en tus vacaciones.

- Describe adónde, cuándo, con quién y por qué vas.
- ¿Qué ropa vas a llevar?
- ¿Qué vas a hacer?

Strategy: Remember to use a table like the one below to help you organize your ideas. (15 puntos)

Detalles	
¿Dónde?	
¿Cuándo?	
¿Por qué?	
¿Con quién?	

¿Qué ropa vas a llevar?	¿Qué vas a hacer?

Writing Criteria	Scale
Vocabulary Usage	1 2 3 4 5

Writing Criteria	Scale
Accuracy	1 2 3 4 5

Writing Criteria	Scale
Organization	1 2 3 4 5

HABLAR

I. Mira el dibujo y describe la escena. **Strategy: Remember to organize the details that you will use in your answers.** (15 puntos)

- Describe la ropa de la gente.
- Describe qué siente la gente usando las expresiones con **tener**.
- Describe lo que están haciendo.

Speaking Criteria	Scale
Vocabulary Usage	1 2 3 4 5

Speaking Criteria	Scale
Accuracy	1 2 3 4 5

Speaking Criteria	Scale
Organization	1 2 3 4 5

Unidad 3
Etapa 3
Examen para hispanohablantes

PORTFOLIO ASSESSMENT

Role-Play

In groups of three or four, prepare a skit and act it out before the class. The theme of your skit should be related to one of the readings or cultural pieces you studied in **Etapa 3**. You might write a skit about a group of friends who live in San Juan, for instance, or about relatives visiting Puerto Rico. Use **tener** expressions, the present progressive, and direct object pronouns as needed as well as vocabulary from the **etapa**. Give some thought to stage directions, costumes, and props; pay attention to details; and, of course, rehearse!

Goal: A videotape or audiotape of the performance, as well as a copy of the script, to be included in your portfolio.

Scoring:

Criteria/Scale 1–4	(1)	Poor	(2)	Fair	(3)	Good	(4)	Excellent
Vocabulary use	1	Limited vocabulary use	2	Some attempt to use known vocabulary	3	Good use of vocabulary	4	Excellent use of vocabulary
Grammar accuracy	1	Errors prevent comprehension	2	Some grammar errors throughout	3	Good use of grammar	4	Excellent use of grammar
Creativity	1	No props, costumes, or stage direction	2	Some props, costumes, and stage direction	3	Appropriate props, costumes, and stage direction	4	Outstanding props, costumes, and stage direction
Preparation	1	Not prepared	2	Somewhat prepared	3	Well prepared	4	Very well prepared

A = 13–16 pts. B = 10–12 pts. C = 7–9 pts. D = 4–6 pts. F = < 4 pts.

Total Score: ______________________

Comments: ______________________

Unidad 3 Etapa 3 Portfolio Assessment

Nombre ______________________ Clase ______________ Fecha ______________

PORTFOLIO ASSESSMENT

Music

Find a song in Spanish that has some of the language and/or objectives of **Etapa 3**. You might look for a song about the weather, clothing, how someone is feeling, or what is happening. Find a copy of the lyrics, and then listen to the song enough times that you associate the lyrics with the sounds you hear in the song. Then, tape yourself singing your song. (You might just speak the words correctly if you don't want to sing!) Finally, write a summary (not a translation) of the song in English. Try to show that you got the gist of the song.

Goal: An audiotape of your performance included, with your summary, in your portfolio.

Scoring:

Criteria/Scale 1–4	(1)	Poor	(2)	Fair	(3)	Good	(4)	Excellent
Accuracy (Performance)	1	Hard to understand	2	Most words distinguishable	3	Good diction	4	Excellent diction
Ease, fluency (Performance)	1	Halting, hard to follow	2	Halting in places	3	Reasonably fluent	4	Excellent fluency
Content (Summary)	1	No effort to summarize	2	Some effort to summarize	3	Clear summary with isolated problems	4	Excellent summary
Grammar (Summary)	1	Errors prevent comprehension	2	Some grammar errors throughout	3	Good use of grammar	4	Excellent use of grammar
Organization (Summary)	1	Illegible, little organization	2	Some effort to organize	3	Well organized	4	Very well organized

A = 18–20 pts. B = 15–17 pts. C = 12–14 pts. D = 8–11 pts. F = < 8 pts.

Total Score: ______________________________

Comments: ______________________________

Unidad 3 Etapa 3 Portfolio Assessment

Nombre ______________________ Clase ______________ Fecha ______________

Test-taking Strategy: Remember to try to relax before you start this test. The more relaxed you are, the easier it will be for you to think clearly.

ESCUCHAR

Tape 19 • SIDE B
CD 19 • TRACKS 19–21

A. Listen to the phone conversation and fill in the blanks. **Strategy: Remember to focus. Concentrate on what you are doing. Listen for specific information.** (5 points)

Sr. Montoya: Hola.

Carmen: Buenos días, señor Montoya.
Soy Carmen. **1.** ¿______________ hablar con Pedro?

Sr. Montoya: No está, pero regresa más tarde.

Carmen: **2.** ¿______________ usted a qué hora regresa?

Sr. Montoya: A las seis. ¿Quieres dejar un **3.** ______________?

Carmen: Sí, **4.** ______________ que me llame, por favor.

Sr. Montoya: Está bien. Chao, Carmen.

Carmen: Gracias, señor Montoya, **5.** ______________.

B. Listen to the following statements. Based on the information you hear, write what sports these people know how to play. Use the verb **saber**. (5 points)

1. Débora ______________________________.
2. Nosotros ______________________________.
3. Yo ______________________________.
4. Arturo e Ignacio ______________________________.
5. Tú ______________________________.

C. Listen to your friends tell what places they visit, then write a sentence inviting them there. Use each of the three expressions for extending invitations at least once. (5 points)

1. ______________________________
2. ______________________________
3. ______________________________
4. ______________________________
5. ______________________________

LECTURA

Read about Daniel's likes and dislikes, then do Activities D and E.

Acaban de empezar las vacaciones de verano y Daniel está muy contento. El verano es su estación favorita. En el verano hace calor y es mucho más divertido ir a la playa que estar en una clase. Cuando no está ocupado con su trabajo, le gusta practicar los deportes al aire libre, especialmente en la playa. El deporte favorito de Daniel es el voleibol en la playa.

Daniel está en un equipo con sus mejores amigos. Los partidos de voleibol son muy emocionantes. Todos quieren ganar, y ¡claro!, a nadie le gusta perder.

Otros en la playa practican diferentes deportes como el surfing o nadan en el mar y unos prefieren tomar el sol y leer una buena novela.

Por las tardes, cansado, a Daniel le gusta alquilar un video y verlo en casa con sus amigos. Daniel piensa que el verano es muy divertido. También cree que pasa muy rápidamente.

D. ¿Comprendiste? Read the following statements, and circle **C** for **cierto** (true) and **F** for **falso** (false). **Strategy: Remember, don't give up. Answer the easy questions first. The rest will become easier as you work with the material.** (5 points)

C F **1.** El deporte favorito de Daniel es el surfing.

C F **2.** Daniel está en un equipo de fútbol con sus mejores amigos.

C F **3.** Por las tardes, a Daniel le gusta leer una buena novela.

C F **4.** La estación favorita de Daniel es el invierno.

C F **5.** Daniel prefiere estar en clase, no practicar deportes al aire libre.

E. ¿Qué piensas? Answer the following question about Daniel. (4 points)

Daniel cree que el verano pasa muy rápidamente. ¿Tiene razón? ¿Por qué?

____

____

____

____

____

____

CULTURA

F. Before you begin, you may want to use a graphic organizer like the one on this page to write down what you remember about Puerto Rico. **Strategy: Remember to proof your answers, but don't change any of them unless you are positive that you made a mistake. Often your first instinct is right.** (10 points)

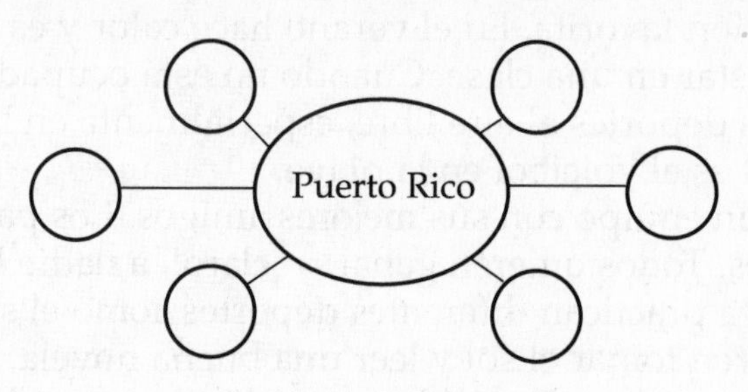

El deporte favorito: Answer these questions about Puerto Rico's most popular sport.

1. ¿Cuál es el deporte más popular de Puerto Rico?

2. Nombra a un jugador puertorriqueño del deporte.

3. ¿Quiénes forman la liga de invierno?

4. ¿Cómo se llama el estadio principal del deporte en San Juan?

5. ¿Cuándo empieza la temporada del deporte en Puerto Rico?

Puerto Rico: Now answer the following questions about Puerto Rico in general.

6. En las playas de Puerto Rico, ¿de qué deporte hay competiciones internacionales?

7. ¿Cómo llegan los taínos a Puerto Rico?

8. ¿En dónde está El Morro?

9. ¿Cómo se llama el himno nacional de Puerto Rico?

10. Si un día vas a Puerto Rico, ¿qué vas a hacer allí?

VOCABULARIO Y GRAMÁTICA

Now you can . . .
- express feelings.

G. Choose the correct adjective from the box according to meaning, then change its ending if necessary to make sure it agrees in gender and number with the noun that it modifies. Use each adjective only once. **Strategy: Remember how you learned the grammar and vocabulary. Sometimes if you can recall the way in which you learned something, you can better remember what you learned.** (5 points)

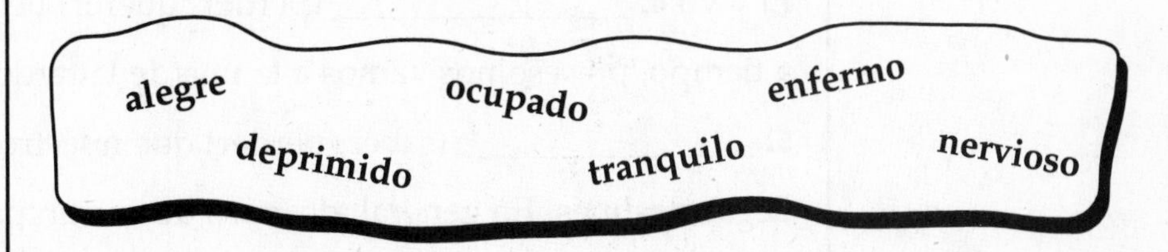

Es la semana de pruebas y muchos estudiantes están muy preocupados. David y José no saben qué notas van a sacar en sus pruebas y están un poco **1.** ______________. Sofía Teresa y Alma Delia están **2.** ______________ porque acaban de sacar muy buenas notas en la prueba de geometría. Al contrario, Juan Antonio está **3.** ______________ porque no sabe estudiar y saca malas notas. Angélica no está preocupada. Siempre estudia muy bien y por eso está **4.** ______________. Tomás y Estela acaban de tomar la prueba de inglés. Mañana tienen la prueba de historia, por eso están muy **5.** ______________ con los estudios.

Now you can . . .
- say what just happened.
- say where you are coming from.

H. Depending on what these people have just done, say where they are coming from. Use **venir**. (5 points)

1. Hortensia y Martín acaban de ver un partido de fútbol.

____

2. Ofelia acaba de jugar al tenis.

____

3. Juan Alberto y tú acaban de correr al aire libre.

____

4. Yo acabo de nadar.

____

5. Tú y yo acabamos de ver una película.

____

Now you can . . .
- talk about sports.
- say what you know.

I. Choose the appropriate verb, and use the correct form of it to finish the sentence. (10 points)

Hoy **1.** ______________ (jugar/cerrar) Los Tigres contra Los Pumas, mis equipos de fútbol favoritos. Yo **2.** ______________ (jugar/saber) que el partido **3.** ______________ (empezar/entender) a las dos de la tarde. Voy con Anselmo. Él y yo **4.** ______________ (perder/querer) llegar al estadio a tiempo, por eso nos vamos a la una de la tarde. Nosotros **5.** ______________ (saber/perder) que nuestros amigos van a llegar después. En general, después de ver un partido nos gusta merendar en nuestro café favorito.

Now you can . . .
- make comparisons.

J. Look at the pictures of David and Ángel and make a sentence comparing them. Use the words in parentheses. (6 points)

1.

David

Ángel

(alto) ____

2.

Ángel

David

(contento) ____

3.

David

Ángel

(activo) ____

Nombre ______________________ Clase ____________ Fecha ____________

Now you can . . .

- discuss clothing and accessories.

K. Answer these questions. Substitute the direct objects with the appropriate pronouns and use them correctly in your answers. (5 points)

1. ¡Qué sol! ¿No necesitas tus gafas de sol?

Sí, (yo) ______________________________

2. ¿Van a comprar los suéteres que venden en la tienda La Primavera?

No, nosotros no ______________________________

3. ¿Marcelina quiere llevar los pantalones nuevos a la fiesta?

Sí, ______________________________

4. ¿Francisca va a comprar la bufanda de cuadros?

No, ______________________________

5. ¿Martín lleva su paraguas cuando está nublado?

Sí, ______________________________

Now you can . . .

- say what is happening.

L. Write what these people are doing, given the information you have. Use the present progressive. (5 points)

1. A José Ángel le gusta oír la música de Ricky Martin.

____

2. A mí me gusta leer novelas románticas.

(Yo)______________________________

3. A Maruca y a Pepa les gusta jugar al voleibol en la playa.

____

4. A ti te gusta cantar karaoke en el centro para los estudiantes.

(Tú) ______________________________

5. A nosotros nos gusta esquiar en los Pirineos.

____

Unidad 3 Unit Comprehensive Test

Nombre ______________________ Clase ______________ Fecha ______________

ESCRITURA

Now you can . . .

- describe how you feel.
- talk about sports.
- state an opinion.
- describe the weather.

M. On a separate sheet of paper, write a paragraph comparing two friends. What do they have in common? How are they different?

- What sports or activities do they enjoy?
- Who's taller, shorter, funnier, busier, etc.?
- What do they like to do in their free time in different types of weather?

Strategy: Remember to use a diagram like the one below to help you organize your ideas. (15 points)

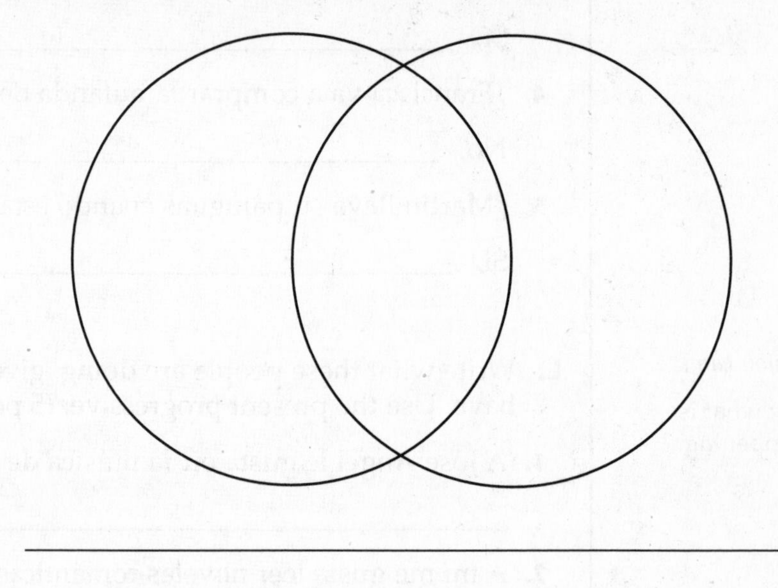

Writing Criteria	Scale	Writing Criteria	Scale	Writing Criteria	Scale
Vocabulary Usage	1 2 3 4 5	Accuracy	1 2 3 4 5	Organization	1 2 3 4 5

Unidad 3
Unit Comprehensive Test

HABLAR

N. Complete the following activities aloud with your teacher. (15 points)

Now you can . . .

- express preferences.

Part 1 Make a statement expressing preferences using either **preferir** or **querer** and the pictures provided. Use each verb at least twice. **Strategy: Remember to use the tone of your voice to convey meaning: happiness, anxiety, etc.**

a. Juan

b. Marta

c. nosotros

d. Paco

e. yo

Now you can . . .

- talk on the phone.
- extend invitations.
- talk about sports.
- express preferences.

Part 2 Pretend to make a call to a friend. Invite him or her to play various sports. Express your preference, but give him or her a choice.

Speaking Criteria	Scale	Speaking Criteria	Scale	Speaking Criteria	Scale
Vocabulary Usage	1 2 3 4 5	Accuracy	1 2 3 4 5	Organization	1 2 3 4 5

Unidad 3 Unit Comprehensive Test

Nombre ______ Clase ______ Fecha ______

Test-taking Strategy: Remember to try to relax before you start this test. The more relaxed you are, the easier it will be for you to think clearly.

ESCUCHAR

Tape 19 • SIDE B
CD 19 • TRACKS 22–23

A. Escribe las palabras o frases que escuchas. **Strategy: Remember to focus. Concentrate on what you are doing. Listen for specific information.** (10 puntos)

1. ______
2. ______
3. ______
4. ______
5. ______
6. ______
7. ______
8. ______
9. ______
10. ______

B. Escucha estos comentarios y decide si lo que está pasando es en el invierno, la primavera, el verano o el otoño. Escribe el número del comentario al lado del dibujo que corresponde a tu respuesta. Hay cinco comentarios. (5 puntos)

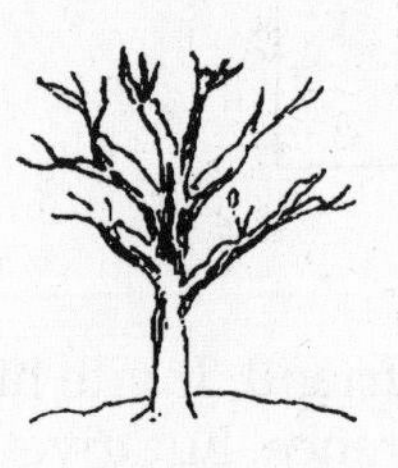 ______

 ______

 ______

 ______

Unidad 3
Prueba comprensiva para hispanohablantes

Nombre ______ Clase ______ Fecha ______

LECTURA

Lee este párrafo y haz las Actividades C y D después.

A una hora de camino al sudeste de San Juan se encuentra El Bosque Nacional del Caribe, El Yunque. El bosque es un área de extremos con montañas muy altas que reciben una impresionante cantidad de lluvia. Como consecuencia de esta lluvia y del clima tropical, hay en el bosque diversas especies de plantas y animales. Algunas de estas especies se encuentran solamente en Puerto Rico. Éste es el caso del loro puertorriqueño. El loro es de color verde, y observándolo más de cerca tiene una banda brillante en la frente de color rojo. Cuando vuela luce un azul brillante en las alas. El loro puede alcanzar un tamaño aproximado de 12 pulgadas. Hoy en día el loro se encuentra sólo en esta parte de la isla y es un ave protegida. El bosque es un refugio natural donde se encuentran muchas especies de aves y ranas, incluyendo el famoso coquí.

C. **¿Comprendiste?** Contesta de acuerdo con la información de la lectura. **Strategy: Answer the easier question first. The other will become easier as you work with the material.** (5 puntos)

1. ¿Cómo es el terreno del bosque?

______

______

2. Describe el loro puertorriqueño.

______

______

D. **¿Qué piensas?** Contesta esta pregunta. Escribe tu respuesta usando oraciones completas. (5 puntos)

¿Te gustaría ir a El Yunque? ¿Por qué?

______

______

______

______

Nombre _______________ Clase _______________ Fecha _______________

CULTURA

E. Para ayudarte a organizar lo que sabes de Puerto Rico, puedes usar un diagrama como éste a continuación. **Strategy: Remember to proof your answers, but don't change any of them unless you are positive that you made a mistake. Often your first instinct is right.** (10 puntos)

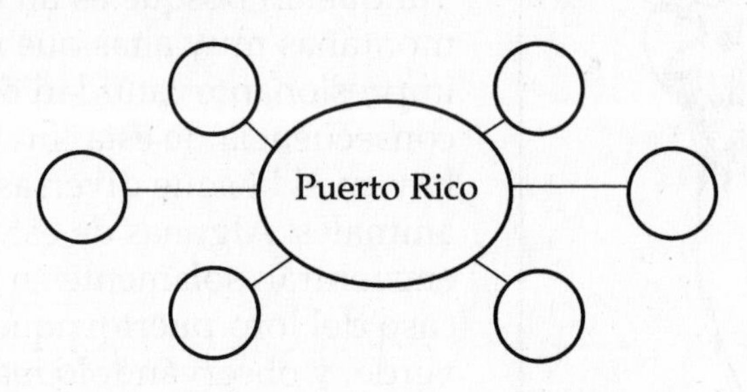

El deporte favorito: Contesta estas preguntas sobre el deporte más popular de Puerto Rico.

1. ¿Cuál es el deporte más popular de Puerto Rico?

____

2. Nombra a un jugador puertorriqueño de este deporte.

____

3. ¿Quiénes forman la liga del invierno?

____

4. ¿Cómo se llama el estadio principal de este deporte en San Juan?

____

5. ¿Cuándo empieza la temporada de este deporte en Puerto Rico?

____

Puerto Rico: Ahora contesta las siguientes preguntas acerca de Puerto Rico en general.

6. En las playas de Puerto Rico, ¿de qué deporte hay competiciones internacionales?

____

7. ¿Cómo llegan los taínos a Puerto Rico?

____

8. ¿En dónde está El Morro?

____

9. ¿Cómo se llama el himno nacional de Puerto Rico?

____

10. Si un día vas a Puerto Rico, ¿qué vas a hacer allí?

____

Unidad 3
Prueba comprensiva para hispanohablantes

Nombre ______ Clase ______ Fecha ______

VOCABULARIO Y GRAMÁTICA

Now you can . . .

- say what just happened.
- say where you are coming from.

F. Tú y tus amigos(as) están muy ocupados(as). Dependiendo de la información que tienes, contesta estas preguntas diciendo lo que tú y tus amigos acaban de hacer y el lugar de dónde vienen. **Strategy: Remember how you learned the grammar and vocabulary. Sometimes if you can recall the way in which you learned something, you can better remember what you learned.** (10 puntos)

1. ¿Nadas los sábados?

Sí, yo ______

2. ¿José y Mariela juegan al tenis todos los fines de semana?

Sí, ______

3. ¿Juan Ernesto juega al fútbol?

Sí, ______

4. ¿Hortensia y tú ven una película todos los fines de semana?

Sí, nosotros ______

5. ¿Martín y Rodolfo toman el sol?

Sí, ______

Now you can . . .

- describe how you feel.

G. Haz oraciones completas con estos fragmentos. (5 puntos)

1. y / Juan / tomar / María Teresa / ganas / playa / tienen / de / el / sol / en / la

______

2. abrigos / Joaquín / llevan / tú / no / tienen / porque / frío / y / sus

______

3. hielo / Antonieta / patinar / de / sobre / tiene / miedo

______

4. Nosotros / sol / cuidado / usamos / con / el / porque / bronceador / tenemos

______

5. noche / Son / de / y / la / tengo / ya / las / sueño / once

______

Unidad 3 Prueba comprensiva para hispanohablantes

Nombre Clase Fecha

Now you can . . .
- say what you know.
- talk about sports.
- discuss clothing and accessories.

H. ¿Qué deportes practican estas personas? Contesta las preguntas explicando a qué deporte saben jugar las personas y adónde van a practicarlo. (5 puntos)

1. ¿Adónde va Mario con un traje de baño?

____

2. ¿Por qué llevan cascos y patinetas Claudia y Mario Antonio?

____

3. ¿Qué hacen tú y Pedro con un bate y un guante?

____

4. ¿Adónde va Luis Enrique con un abrigo y esquís en marzo?

____

5. ¿Adónde van Estela y Concha en shorts, camisetas y con raquetas?

____

Now you can . . .
- make comparisons.
- state an opinion.

I. Expresa tus opiniones acerca de estas actividades y deportes. (5 puntos)

1. caminar / correr (más / bueno)

____

2. leer / escribir (más / divertido)

____

3. ir de compras / ir a la playa (más / interesante)

____

4. el tenis / el voleibol (menos / emocionante)

____

5. ver la televisión / ir al cine (más / aburrido)

____

Now you can . . .

- express preferences.

J. Contesta estas preguntas usando el pronombre del objeto directo en tus respuestas. (5 puntos)

1. ¿Tu mamá siempre quiere ver la televisión a las ocho de la noche?

   Sí, ______________________________

2. ¿David y tú prefieren oír los discos compactos de música clásica?

   Sí, nosotros ______________________________

3. ¿Quieres leer el periódico todos los días?

   Sí, yo ______________________________

4. ¿Arturo quiere escribir la novela más popular de la historia?

   Sí, ______________________________

5. ¿La señorita Alarcón prefiere sacar fotos en el bosque?

   Sí, ______________________________

Now you can . . .

- say what is happening.

K. Explica lo que están haciendo estas personas de acuerdo con la información que tienes. Usa el presente progresivo. (5 puntos)

1. Daniela / comer / la cena

   ____

2. ustedes / leer / libros

   ____

3. nosotros / jugar / al baloncesto

   ____

4. tú / escribir / una carta

   ____

5. Pepa y Candela / esquiar / en la montaña

   ____

Nombre ______ Clase ______ Fecha ______

ESCRITURA

Now you can . . .

- make comparisons.
- talk about sports.
- state an opinion.
- describe the weather.

L. En una hoja de papel, escribe un párrafo comparando a dos amigos(as). ¿Qué tienen en común? ¿En qué se diferencian?

- ¿Qué actividades les gusta hacer de acuerdo con las condiciones del tiempo?
- ¿Qué actividades o deportes practican?
- ¿Cómo son físicamente? ¿Quién es más divertido, quién es más alegre?

Strategy: Remember to use a diagram like the one below to organize your ideas. (15 puntos)

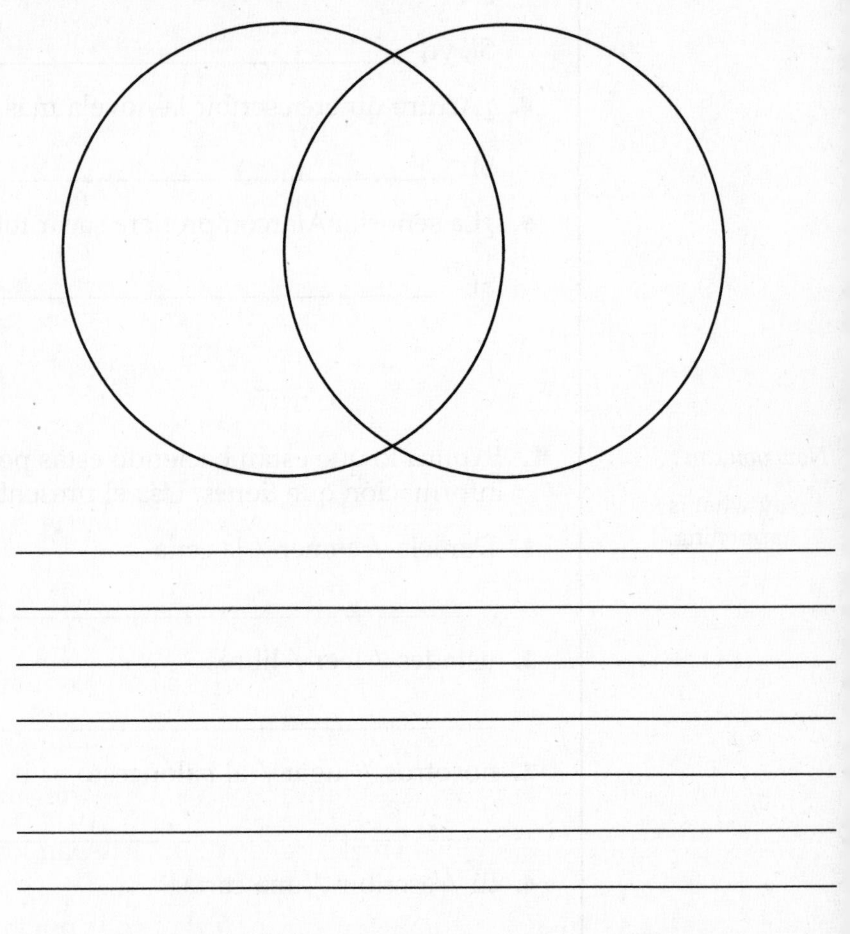

Writing Criteria	Scale	Writing Criteria	Scale	Writing Criteria	Scale
Vocabulary Usage	1 2 3 4 5	Accuracy	1 2 3 4 5	Organization	1 2 3 4 5

Nombre _______________ Clase _______________ Fecha _______________

HABLAR

Now you can . . .

- express preferences.
- talk about sports.

M. Completa estas actividades hablando con tu profesor(a). (15 puntos)

Parte 1 Contesta estas preguntas oralmente de acuerdo con el dibujo que ves. **Strategy: Remember to keep a positive attitude. This way you are more likely to be relaxed and do well.**

1.

2.

3.

4.

5.

1. ¿Qué hace Ignacio todos los fines de semana?
2. ¿Gerónimo tiene planes todos los jueves?
3. ¿Qué hace Mariela todos los domingos?
4. ¿Qué hacen Ruth y Rubí los martes por la tarde?
5. ¿Qué le gusta hacer a Luis Esteban los fines de semana?

Now you can . . .

- talk on the phone.
- extend invitations.
- talk about sports.
- express preferences.

Parte 2 Imagínate que haces una llamada telefónica a un(a) amigo(a). Invítalo(a) a jugar a varios deportes. Expresa tu preferencia, pero dale a tu amigo(a) la oportunidad de decir qué quiere hacer.

Speaking Criteria	Scale
Vocabulary Usage	1 2 3 4 5

Speaking Criteria	Scale
Accuracy	1 2 3 4 5

Speaking Criteria	Scale
Organization	1 2 3 4 5

Nombre ______________________ Clase ______________ Fecha ______________

VOCABULARIO

Choose the letter of the answer that best completes each item.

1. Para llamar a Juan, hay que ______ el número 22-54-98.

a. practicar

b. alquilar

c. marcar

d. contestar

2. La señora del Valle está ______ porque acaba de ver una película muy buena.

a. contenta

b. enojada

c. deprimida

d. enferma

3. —Alfredo, ¿te gustaría ir al cine conmigo?

—No, gracias. Estoy muy ______. ¡Tengo que estudiar para dos exámenes!

a. alegre

b. ocupado

c. tranquilo

d. contento

4. —Estoy preocupada porque mi abuelo está muy ______.

—¡Qué lástima!

a. emocionado

b. tranquilo

c. enfermo

d. ocupado

5. Necesito ______. Tengo que comprar ropa nueva para llevar a la escuela.

a. practicar deportes

b. ir al concierto

c. ir al cine

d. ir de compras

6. Jesús no quiere ir al cine. Quiere ______ un video para ver en casa.

a. llamar

b. alquilar

c. acompañar

d. marcar

7. Paula no está en casa. Voy a dejar un mensaje en su ______.

a. máquina contestadora

b. guía telefónica

c. tiempo libre

d. momento

GRAMÁTICA

Choose the letter of the answer that best completes each sentence.

8. Susana ______ ir al supermercado. Regresa más tarde.

a. acabas

b. acaba

c. acabas de

d. acaba de

9. A ti ______ gusta ir de compras, ¿no?

a. le

b. me

c. te

d. de

10. ______ no me gusta hacer la tarea.

a. A mí

b. A ti

c. A Jaime

d. A ella

11. A la señora de Holguín ______ gusta caminar con su perro.

a. de

b. te

c. me

d. le

12. ¿A qué hora ______ tus primos de Chicago?

a. vengo

b. venimos

c. viene

d. vienen

13. Estoy contento porque ______ de un concierto muy bueno.

a. vengo

b. viene

c. vienes

d. vienen

14. Nosotros ______ ver una película muy buena.

a. acabas

b. acabamos

c. acabamos de

d. acabas de

CULTURA

Choose the letter of the answer that best completes each sentence.

15. The name "Puerto Rico" was given to the island by the ______.

a. Taínos

b. Spanish

c. Portuguese

d. English

16. Ricky Martin ______.

a. was Puerto Rico's first governor

b. is a singer from Puerto Rico

c. is a Puerto Rican tennis player who won the Olympic gold medal in tennis for the U.S.

d. is a famous Puerto Rican author

17. There are several ways to answer the phone in Spanish, including **Aló**, **Diga**, **Bueno**, and, in Puerto Rico, ______.

a. Claro

b. ¿Qué tal?

c. Dígale

d. Hola

Nombre ______________________ Clase ______________ Fecha ______________

LECTURA

Read the passage and the statements that follow. Choose the letter of the answer that best completes each statement.

—Hola, Cecilia. ¿Quieres acompañarme al cine? Yo te invito.

—Gracias, Eduardo, pero no puedo. Estoy muy cansada. Quiero descansar.

—¡Qué lástima! No quiero ir al cine solo. Acabo de llamar a Rosario y ella no está en casa. Regresa más tarde.

—Lo siento, Eduardo. Pero no quiero ir al cine hoy. Tal vez otro día.

—Está bien. Otro día, entonces.

18. Eduardo quiere ______.

a. ver una película

b. practicar deportes

c. ir de compras

d. ir a un concierto

19. ______ no está en casa. Regresa más tarde.

a. La película

b. Cecilia

c. Rosario

d. Eduardo

20. Cecilia quiere ______.

a. ir de compras

b. descansar

c. alquilar un video

d. ir al cine

VOCABULARIO

Choose the letter of the answer that best completes each item.

1. Vamos a jugar al tenis en ______.

a. la cancha

b. el estadio

c. la piscina

d. el campo

2. Para jugar al fútbol americano, necesitas una bola y ______.

a. un bate

b. una patineta

c. un casco

d. una gorra

3. Si juegas al ______, necesitas un guante y un bate.

a. baloncesto

b. tenis

c. hockey

d. béisbol

4. Nuestro equipo de baloncesto es muy bueno. El equipo nunca va a ______.

a. merendar

b. perder

c. ganar

d. cerrar

5. —¿Quieres jugar al tenis conmigo?
—No puedo. No tengo ______.

a. un guante

b. un casco

c. una raqueta

d. una patineta

6. —¿Dónde va a ser el partido de fútbol?
—Va a ser ______.

a. en el estadio

b. sobre hielo

c. en la piscina

d. en la tienda de deportes

7. José Antonio juega al ______ sobre hielo.

a. fútbol americano

b. baloncesto

c. voleibol

d. hockey

GRAMÁTICA

Choose the letter of the answer that best completes each item.

8. Luis y Maruja siempre ______ al tenis después de la escuela.

a. juegan

b. juega

c. jugamos

d. juegas

9. Mi hermano y yo ______ ir al estadio para ver el partido.

a. pienso

b. piensan

c. piensa

d. pensamos

10. Santiago ______ jugar al voleibol muy bien.

a. sé

b. sabe

c. sabemos

d. sabes

11. En el Caribe, el béisbol es ______ popular como el fútbol.

a. menos

b. tanto

c. tan

d. más

12. El partido empieza en ______ cinco minutos.

a. menos que

b. menos de

c. más que

d. tan como

13. El baloncesto es mi deporte favorito. Es ______ interesante que el béisbol.

a. mayor

b. tan

c. mejor

d. más

14. Julia tiene dieciocho años. Su hermana tiene diez años. Julia es ______.

a. peor

b. menor

c. mayor

d. mejor

CULTURA

Choose the letter of the answer that best completes each item.

15. El puertorriqueño más famoso del béisbol se llama ______.

a. Andrés Galarraga

b. Roberto Clemente

c. Fernando Valenzuela

d. Edgar Rentería

16. Muchos jugadores de béisbol importantes vienen de Venezuela, la República Dominicana y ______.

a. Cuba

b. Argentina

c. El Salvador

d. Brasil

17. Los equipos de béisbol que juegan en Puerto Rico forman ______.

a. la liga de otoño

b. la temporada de invierno

c. la liga de invierno

d. el Salón de la Fama

LECTURA

Read the passage and the statements that follow. Choose the letter of the answer that best completes each statement.

Martín: ¿Me acompañas al partido?

Olga: ¡Claro que sí! Nuestro equipo es el mejor. Siempre ganan. ¿A qué hora empieza el partido?

Martín: Empieza en menos de una hora.

Olga: Me gusta ver los partidos, pero es un deporte peligroso, ¿no?

Martín: Sí, pero los jugadores llevan cascos. ¡Vamos! Tenemos que llegar al estadio temprano.

18. Martín invita a Olga a un partido en ______.

a. la piscina

b. el estadio

c. la tienda de deportes

d. el campo

19. Los jugadores llevan ______.

a. guantes

b. patines

c. gorras

d. cascos

20. Martín y Olga van a ver un partido de ______.

a. fútbol americano

b. hockey

c. baloncesto

d. béisbol

VOCABULARIO

Choose the letter of the answer that best completes each item.

1. En Puerto Rico, durante el verano hay ______.

a. nieve

b. sol

c. frío

d. fresco

2. Generalmente cuando hace calor, Juan Antonio lleva ______.

a. guantes

b. un impermeable

c. shorts

d. una bufanda

3. En el invierno en Minnesota hay mucha ______.

a. nieve

b. tormentas

c. nevar

d. llover

4. A Marcelo no le gusta ver las películas de horror, porque después de verlas, por la noche tiene ______.

a. prisa

b. suerte

c. miedo

d. sueño

5. A mucha gente le gusta esquiar en ______.

a. las plantas

b. las montañas

c. el desierto

d. las flores

6. Cuando llueve casi todas las personas llevan ______.

a. un paraguas

b. unos shorts de cuadros

c. bronceador

d. un gorro

7. En el desierto hace mucho ______ durante el día.

a. fresco

b. frío

c. calor

d. llover

GRAMÁTICA

Choose the letter of the answer that best completes each item.

8. ¿Qué tiempo ______ hoy?

a. nieva

b. hay

c. hace

d. llueve

9. Bartolomé ______ ganas de ir a las montañas.

a. tengo

b. tiene

c. tenemos

d. tienen

10. No tengo mis gafas de sol, ______ tengo que buscar.

a. las

b. lo

c. la

d. los

11. —¿Y Miguel Ángel, dónde está?
—Está en casa. Le gusta mucho oír música por la noche. En este momento ______ el disco compacto de Ricky Martin.

a. leyendo

b. está oyendo

c. hablando

d. está comiendo

12. Es la una de la tarde. Quiero comer porque ¡______ mucha hambre!

a. tengo

b. tienes

c. llevo

d. tienen

13. Me gusta la isla de Puerto Rico, ______ voy a visitar en el verano.

a. el

b. lo

c. la

d. ella

14. A Maruca y Toño les gusta mucho bailar. Ahora ______ un tango.

a. estoy leyendo

b. están bailando

c. están esquiando

d. está bailando

CULTURA

Choose the letter of the answer that best completes each item.

15. El Morro es ______ en Puerto Rico.

a. una flor

b. una fortaleza

c. una playa

d. un gorro

16. Los taínos son ______.

a. unas personas

b. unos lagos

c. un bosque tropical

d. una especie de flor

17. Borinquen es el ______ de la isla.

a. deporte

b. mar

c. nombre

d. desierto

LECTURA

Read the passage and the statements that follow. Choose the letter of the answer that best completes each statement.

¡Bienvenido a mi página web! Me llamo Roque y vivo en Puerto Rico. Aquí en San Juan casi siempre hace buen tiempo. En el verano la temperatura es ideal. A mí me gusta mucho cuando hay sol porque siempre tengo ganas de ir a la playa. Siempre uso bronceador y llevo gafas de sol porque hay que tener cuidado con los rayos ultravioleta.

Si quieres saber más de San Juan y de Puerto Rico, haz click en la foto de El Yunque, el Bosque Nacional del Caribe. Si tienes ganas de conocerme, haz click en mi foto para conocer a mi familia y a mis amigos. Me gusta mucho recibir correo electrónico. ¡Escríbeme por Internet!

18. Roque piensa que en San Juan ______.

a. está nublado

b. hace buen tiempo

c. hace mal tiempo

d. hay viento

19. Cuando Roque va a la playa, ______.

a. lleva una gorra

b. juega al voleibol

c. lleva gafas de sol

d. leva una bufanda

20. Con esta lectura, uno puede pensar que ______.

a. a Roque le gusta el tiempo en Puerto Rico

b. Roque practica muchos deportes

c. Roque vive en Puerto Vallarta

d. Roque no tiene una computadora

ESCUCHAR

Tape 19 • SIDE B
CD 19 • TRACK 24

Alejandro is helping Claudio, a new student from Miami. Listen to their conversation, then choose the letter of the answer that best completes each sentence. **Strategy: Remember to use the process of elimination to reduce the number of possible correct answers to the questions.** (10 points)

1. La conversación pasa ______.
a. durante el almuerzo
b. antes de la primera clase
c. después de las clases
d. durante el receso

2. El horario de Claudio empieza con la clase de ______.
a. matemáticas
b. historia
c. computación
d. música

3. La señora López es ______.
a. morena
b. paciente
c. simpática
d. baja

4. Alejandro le presenta Claudio a la señora López porque ______.
a. va a ayudarlo con todo
b. Claudio necesita ayuda en matemáticas
c. es una maestra alta
d. Claudio está en su clase de música

5. Después de las clases, Claudio ______.
a. va a descansar
b. va a salir
c. va con sus amigos
d. va a jugar al béisbol

LECTURA

Read Marta's letter to Carmen. Then choose the letter of the answer that best completes each sentence. (10 points)

¡Hola, Carmen!

¿Cómo estás? Soy tu nueva amiga por correspondencia. Me llamo Marta. Tengo 15 años, soy la hija menor de la familia. Soy alta y morena. Tengo ojos marrones como las otras personas de mi familia. Soy simpática, pero a veces no tengo mucha paciencia.

Vivo con mi familia en San Juan, Puerto Rico. Es un lugar muy bonito. Hace sol y calor durante todo el año. Me gusta mucho la vida de aquí. Todos los días mis amigos y yo nadamos en el mar o caminamos en las playas. A veces también vamos al parque. Somos muy activos.

A mí no me gusta leer ni ver la televisión. Cuando estoy sola, me gusta tocar la guitarra o escribir cartas a mis amigos. ¿Y a ti? ¿Qué te gusta hacer?

Marta

6. Marta es una persona muy ______.

a. paciente

b. activa

c. tranquila

d. bonita

7. Marta tiene hermanos ______.

a. mayores

b. morados

c. menores

d. morenos

8. Marta piensa que ______ en Puerto Rico.

a. hace mal tiempo

b. la vida es difícil

c. hay mucho que hacer

d. no hay lugares bonitos

9. Marta participa en actividades al aire libre ______.

a. todos los días

b. nunca

c. a veces

d. siempre

10. A Marta no le gusta ______.

a. estar sola

b. nadar

c. leer

d. tocar la guitarra

CULTURA

Choose the letter of the answer that best completes each sentence. **Strategy: Remember to think about the culture information you learned in the textbook.** (10 points)

11. Puerto Rico es ______.

a. un estado de Estados Unidos

b. un país independiente

c. una isla

d. una ciudad

12. Flores en el nombre de Margarita Flores Delgado es el nombre ______.

a. de su papá

b. de su mamá

c. de su esposo

d. de su vecino

13. El Zócalo de la Ciudad de México es ______.

a. una zona turística

b. una universidad

c. una plaza

d. un parque

14. Los estudiantes en las escuelas secundarias públicas en México van a las clases ______.

a. por la mañana o por la tarde

b. por la mañana y por la tarde

c. sólo por la mañana

d. sólo por la tarde

15. Una quinceañera es ______.

a. una fiesta de cumpleaños

b. una muchacha que tiene 15 años

c. una tradición especial

d. a, b y c

Nombre ______________________ Clase ____________ Fecha ____________

VOCABULARIO Y GRAMÁTICA

Choose the letter of the answer that best completes each sentence. **Strategy: Remember to remain calm and review the questions carefully. If you aren't sure of an answer, try to eliminate other possible responses.** (50 points)

16. ¿De dónde ______ ustedes?

a. es

b. eres

c. somos

d. son

17. María y Carmela llevan faldas ______.

a. negra

b. negro

c. negras

d. negros

18. Son ______ patines de Jorge.

a. el

b. los

c. un

d. unos

19. ______ abuelos son muy viejos.

a. Nuestras

b. Nuestra

c. Nuestro

d. Nuestros

20. A los muchachos ______ gusta mucho jugar al fútbol.

a. las

b. los

c. les

d. nos

21. Hoy es ______.

a. lunes

b. mayo

c. la una

d. primavera

Unidad 3 Midterm

22. Durante el invierno en Minnesota ______.

a. hay sol

b. llueve

c. nieva

d. hace fresco

23. Para sacar una buena nota, ______ estudiar.

a. necesito

b. tengo

c. hay que

d. a y c

24. ¿______ es la fiesta?

a. Adónde

b. Cuál

c. A qué hora

d. Quién

25. Elena y yo ______ ir al partido de fútbol.

a. quiere

b. quieremos

c. queremos

d. quieren

26. Yo ______ la respuesta.

a. sabo

b. conozco

c. conoco

d. sé

27. ¿______ mucho a tus abuelos?

a. escribo

b. escribes

c. escriben

d. escribe

28. Me gusta el baloncesto, pero me gusta más el fútbol. Me gusta el fútbol ______ el baloncesto.

a. menos que

b. más que

c. tanto como

d. más de

29. Estoy ______ porque tengo una prueba mañana.

a. cansado

b. nervioso

c. contento

d. emocionado

30. Manuel tiene ______ porque va a llegar tarde a clase.

a. prisa

b. suerte

c. miedo

d. razón

31. José y yo ______ el perro todos los días.

a. cuidas

b. cuida

c. cuidan

d. cuidamos

32. Los buenos estudiantes ______ hacen su tarea.

a. de vez en cuando

b. nunca

c. siempre

d. rara vez

33. Los muchachos están muy cansados porque ______ de correr.

a. vienen

b. acaban

c. son

d. van

34. ¿Pájaros? Sí, ______ oigo.

a. lo

b. la

c. los

d. las

Unidad 3 Midterm

35. El papá de mi primo es mi ______.

a. tío

b. hermano

c. abuelo

d. papá

36. Alex y yo ______ en la biblioteca.

a. estámos estudiando

b. estamos estudiando

c. estámos estudiendo

d. estamos estudiendo

37. En Minnesota los meses de verano son ______.

a. diciembre, enero, febrero

b. septiembre, octubre, noviembre

c. junio, julio, agosto

d. marzo, abril, mayo

38. En la clase de literatura, lees ______.

a. novelas

b. revistas

c. periódicos

d. cartas

39. Para llamar a alguien por teléfono, tienes que ______ el número.

a. buscar

b. marcar

c. contestar

d. dejar

40. Yo _____ para una prueba más tarde.

a. estudio

b. voy a estudiar

c. estoy estudiando

d. acabo de estudiar

ESCRITURA

Imagine you are writing to a pen pal for the very first time. (10 points)

Introduce yourself.
Describe yourself.
Tell about your family and where you live.
Describe your daily school routine.
Talk about what you do after school.

Writing Criteria	Scale	Writing Criteria	Scale
Vocabulary Usage	1 2 3 4 5	Accuracy	1 2 3 4 5

HABLAR

Answer the following questions about you and your friends. (10 points)

1. ¿Cuál es tu estación favorita? ¿Por qué?
2. ¿Cómo es tu mejor amigo(a)?
3. ¿Qué te gusta y no te gusta hacer?
4. ¿Cómo es tu horario este año?
5. ¿Adónde van tú y tus amigos este fin de semana? ¿Qué van a hacer ustedes?

Speaking Criteria	Scale	Speaking Criteria	Scale
Vocabulary Usage	1 2 3 4 5	Accuracy	1 2 3 4 5

Unidad 3

Etapa 1 Answer Keys

Information Gap Activities

Actividad 1

Estudiante A

1. La tía Esmeralda está enojada.
2. Andrés está contento/feliz/alegre.
3. Martín está serio/tranquilo.
4. Melissa está procupada.

Estudiante B

1. Francisca está contenta/feliz/alegre.
2. El tío Alberto está contento/feliz.
3. Delmira está enojada.
4. Daniel está preocupado/triste.

Actividad 2

Estudiante A

1. Rosa acaba de correr.
2. Paquita acaba de comer.
3. Su mamá acaba de alquilar un video.

Estudiante B

1. Laura acaba de nadar.
2. Sus padres acaban de ir al cine./Sus padres acaban de ver una película.
3. Miguel acaba de comprar comida./Miguel acaba de ir de compras./Miguel acaba de ir al supermercado.

Actividad 3

Estudiante A

1. A Marta y a Lupe les gusta leer.
2. A ustedes les gusta ir al museo./A ustedes les gusta ir a los museos.
3. A Guillermo y a Rosario les gusta ir al cine.

Estudiante B

1. Al señor Cepeda y al señor Villa les gusta andar en bicicleta....
2. A Federico y a Salvador les gusta patinar./A Federico y a Salvador les gusta patinar sobre hielo.
3. A ustedes les gusta bailar.

Actividad 4

Estudiante A

1. Usa la máquina contestadora.
2. Deja un mensaje para ella.
3. Deje un mensaje después del tono.
4. Usa la guía telefónica.

Estudiante B

1. Regresa más tarde.
2. Usa la máquina contestadora.
3. Necesitas marcar el número.
4. Usa la guía telefónica.

Video Activities

Actividad 1

1. C
2. F
3. C
4. F
5. F
6. F
7. C
8. C

Actividad 2

1. Sí
2. Sí
3. No
4. Sí
5. No
6. Sí

Actividad 3

1. F; Ignacio sí es hermano de Diana.
2. C
3. C
4. F; Roberto llega el viernes a Puerto Rico.
5. C

Actividad 4

1. Roberto
2. Diana
3. Ignacio
4. Roberto
5. Ignacio
6. Roberto
7. Diana
8. Ignacio
9. Diana

Actividad 5

1. Roberto está emocionado porque él y su familia van a vivir en Puerto Rico.
2. Sí, Ignacio está contento, pero también está un poco nervioso.
3. Ignacio invita a Roberto a la práctica de béisbol.
4. La práctica de béisbol es el sábado a las dos de la tarde.
5. Ignacio no quiere ver un video porque tiene que practicar béisbol.

Actividad 6

1. Ignacio uses the following words to extend invitations: Te invito a...; ¿Te gustaría venir?; ¿Quieres ver una película...?; ¿Quieres ver una? Diana extends invitations to Ignacio with the following questions: ¿Quieres acompañarme?; ¿Quieres ir de compras o no?; ¿Por qué no alquilamos un video?
2. Ignacio uses the following words to decline invitations: No, tal vez otro día; No, no.

Cooperative Quizzes

Quiz 1

1. Laura está contenta.
2. Yo estoy alegre.
3. Los muchachos están tranquilos.
4. Carmela está enferma.
5. Nosotros estamos ocupados.

Quiz 2

1. Porque los estudiantes acaban de practicar deportes.
2. Porque Julián acaba de estudiar para una prueba.
3. Porque María y Teresa acaban de comer con sus amigas.
4. Porque el profesor acaba de escribir en el pizarrón.
5. Porque acabo de tomar esta prueba.

Quiz 3

1. Antonio viene del concierto.
2. Martín y Alfonso vienen de la tienda de videos.
3. Las muchachas vienen de la cafetería.
4. Yo vengo del parque.
5. Nosotros venimos de la biblioteca.

Quiz 4

1. (A nosotros) nos gusta practicar deportes.
2. (A Yolanda) le gusta escribir cartas.
3. (A ti y a mí) nos gusta ver películas.
4. (A mi profesor) le gusta enseñar la clase.
5. (A ellos) les gusta ir de compras.

Exam Form A

A.

1. b
2. a
3. b
4. a
5. b

B.

1. d
2. a
3. c
4. b
5. b

C.

1. Van a un concierto de música y baile—la bomba y plena.
2. Lo invita porque tiene una entrada extra. Su hermana está enferma.

D.

1. llamada
2. número
3. telefónica
4. marcas
5. máquina (contestadora)
6. mensaje
7. tono
8. contesta
9. Puedo
10. Dile (Dígale)

E.

1. me gusta
2. nos gusta
3. le gusta
4. te gusta
5. les gusta
6. les gusta
7. me gusta
8. nos gusta
9. le gusta
10. te gusta

F.

1. Estoy contento/alegre/feliz.
2. Están nerviosas/preocupadas.
3. Está enferma.
4. Estás triste.
5. Estamos ocupados.

G.

1. Yo vengo del gimnasio. Acabo de practicar deportes.
2. Tú vienes del cine. Acabas de ver una película.
3. Ustedes vienen del auditorio. Acaban de ir a un concierto.
4. Elsa viene de la tienda. Acaba de alquilar un video.
5. Dolores y yo venimos del parque. Acabamos de andar en bicicleta.

H. Answers will vary.

I. Answers will vary.

Exam Form B

A.

1. b
2. b
3. a
4. b
5. a

B.

1. d
2. b
3. b
4. c
5. a

C.

1. Van a un concierto de música y baile (un concierto de bomba y plena).
2. La invita porque tiene una entrada extra. Su hermano está enfermo.

D.

1. llamada
2. número
3. telefónica
4. marcas
5. máquina (contestadora)
6. mensaje
7. tono
8. contesta
9. Puedo
10. Dile (Dígale)

E.

1. te gusta
2. le gusta
3. me gusta
4. les gusta
5. nos gusta
6. te gusta
7. le gusta
8. nos gusta
9. me gusta
10. les gusta

F.

1. Estamos ocupados.
2. Estoy contento/alegre/feliz.
3. Están nerviosas/preocupadas.
4. Está enferma.
5. Estás triste.

G.

1. Ustedes vienen del auditorio. Acaban de ir a un concierto.
2. Dolores y yo venimos del parque. Acabamos de andar en bicicleta.
3. Elsa viene de la tienda. Acaba de alquilar un video.
4. Yo vengo del gimnasio. Acabo de practicar deportes.
5. Tú vienes del cine. Acabas de ver una película.

H. Answers will vary.

I. Answers will vary.

Examen para hispanohablantes

A.

1. La señora Martínez contesta el teléfono.
2. Acaba de hacer una tarea en la biblioteca.
3. Está preocupada porque acaba de tomar un examen (muy difícil).
4. Quiere invitarla al cine.
5. Sabe que es buena porque a su hermana (mayor) le gusta mucho.

B.

1. c
2. b
3. c
4. b
5. a

C.

1. Le escribe porque está preocupado y quiere ayudarlo.
2. Va a invitarlo a su casa e ir a un concierto.

D.

1. Puedo, regresa, Dígale
2. mensaje
3. acompañarme/ir, lástima, preocupes, Tal vez
4. gustaría, Claro

E.

1. viene
2. vengo
3. vienes
4. vienen
5. venimos

F.

1. Estás contento/feliz/alegre. Acabas de pasar un buen rato con los amigos.
2. Estamos nerviosas/preocupadas. Acabamos de tomar un examen.
3. Está enferma. Acaba de ver al doctor.
4. Estoy triste. Acabo de ver una película triste.
5. Están ocupados. Acaban de hacer un nuevo trabajo.

G.

1. me gusta...
2. le gusta...
3. nos gusta...
4. les gusta...
5. les gusta...

H. Answers will vary.

I. Answers will vary.

Etapa 2 Answer Keys

Information Gap Activities

Actividad 1

Estudiante A

1. Para practicar el fútbol americano, necesitas un casco y una bola.
2. Para andar en patineta, necesitas una patineta y un casco.

Estudiante B

1. Para practicar el béisbol, necesitas un guante, una pelota y un bate.
2. Para practicar el tenis, necesitas una raqueta y bolas.

Actividad 2

Estudiante A

1. Isabel y Tomás juegan al voleibol.
2. Tus primos juegan al béisbol.
3. Pablo y Ana juegan al tenis.
4. Juanito juega al fútbol.

Estudiante B

1. La señora Rodríguez juega al tenis.
2. Tus amigos y tú juegan al baloncesto.
3. Gloria y Marisela juegan al voleibol.
4. Pedro y Diego juegan al fútbol americano.

Actividad 3

Estudiante A

1. Simón sabe jugar al béisbol.
2. Cristina y Olga saben cantar.
3. Isabel y Emilio saben jugar al baloncesto.
4. Ricardo sabe tocar la guitarra.

Estudiante B

1. Juan Luis sabe jugar al hockey.
2. Arturo sabe jugar al baloncesto.
3. Mónica y David saben bailar.
4. Victoria y Alejandra saben jugar al fútbol.

Actividad 4

1. Para esta clase, el voleibol es más fácil.
2. Para esta clase, el béisbol es menos peligroso.
3. Para esta clase, el tenis es más interesante.
4. Para esta clase, el fútbol es más divertido.
5. Para esta clase, el tenis es más difícil.
6. Para esta clase, el voleibol es menos interesante.

Video Activities

Actividad 1

1. C
2. C
3. F
4. F
5. F
6. C
7. C
8. C

Actividad 2

1. a, c
2. a, d
3. b (and c)
4. a, e, f (and c)

Actividad 3

1. C
2. C
3. F; No, Ignacio le presenta Roberto al señor Castillo.
4. C
5. F; No, Roberto quiere jugar en el equipo de baloncesto de la escuela.

Actividad 4

1. más... que
2. menos... que
3. más
4. tan... como

Actividad 5

1. Sí, Roberto juega al béisbol en Minneapolis, pero no está en un buen equipo.
2. Sí, Ignacio tiene un guante de béisbol.
3. Roberto quiere practicar el béisbol con el equipo de Ignacio.
4. Ignacio quiere participar en el concurso de la revista *Onda Internacional*.
5. Roberto invita a Ignacio y a Diana a su casa.

Actividad 6

1. Roberto
2. Ignacio
3. el señor Castillo
4. Diana
5. Roberto
6. Ignacio

Cooperative Quizzes

Quiz 1

1. juega…
2. juega…
3. juegan…
4. jugamos…
5. juegas…

Quiz 2

1. quiere
2. prefiere; entiendo; tengo
3. pierde
4. pensamos; empieza
5. Quieres; cierra; merendamos

Quiz 3

1. Felipe sabe patinar muy bien.
2. Ellas saben muy bien los verbos.
3. Sí, yo sé cuándo es el próximo examen de literatura.
4. Sí, nosotros sabemos dónde es el partido de fútbol americano.
5. Tú sabes jugar bien al tenis.

Quiz 4

Answers will vary. Possible answers:
1. Me gusta el fútbol más que el baloncesto.
2. Para ellos, es mejor jugar al aire libre que jugar en el gimnasio.
3. El voleibol es menos complicado que el hockey.
4. El béisbol es tan popular como el fútbol americano.
5. Mi hermano es mayor que yo./Yo soy menor que mi hermano.

Exam Form A

A.
Images circled: 2, 3, 4, 5, 7, 9, 10
Images checked: 2, 7

B.
1. C
2. F
3. F
4. C
5. C

C.
1. El béisbol y el fútbol son los deportes más populares porque hay más estudiantes que los juegan.
2. Levantar pesas y el tenis son mejores porque son deportes individuales.

D.
1. piscina
2. raqueta
3. surfing
4. sombrero
5. patines

E.
1. más que
2. menos... que
3. tan... como
4. menos... que
5. más de

F.
1. juegas
2. cierra
3. queremos
4. entienden
5. pienso

G.
1. Tú sabes jugar al baloncesto y juegas en una cancha.
2. Yo sé jugar al voleibol y juego en una cancha.
3. María Josefina y yo sabemos jugar al fútbol y jugamos en un campo.
4. Los chicos saben jugar al fútbol americano y juegan en un campo.
5. Carlos sabe jugar al tenis y juega en una cancha.

H. Answers will vary.

I.
1. Juegan al béisbol.
2. Están en un campo (estadio).
3. Uno lleva un bate y un casco. El otro lleva una gorra y un guante.
4. Los Cardenales ganan.
5. Sí,/No, no sé jugar al béisbol.

Exam Form B

A.
Images circled: 1, 3, 4, 5, 6, 8, 10
Images checked: 3, 8

B.
1. F
2. C
3. C
4. F
5. C

C.
1. El béisbol y el fútbol son los deportes más populares porque hay más estudiantes que los juegan.
2. Levantar pesas y el tenis son mejores porque son deportes individuales.

D.
1. surfing
2. sombrero
3. patines
4. piscina
5. raqueta

E.
1. más de
2. más que
3. menos... que
4. tan... como
5. menos... que

F.
1. queremos
2. entienden
3. cierra
4. pienso
5. juegas

G.
1. Carlos sabe jugar al tenis y juega en una cancha.
2. Los chicos saben jugar al fútbol americano y juegan en un campo.
3. Tú sabes jugar al baloncesto y juegas en una cancha.
4. María Josefina y yo sabemos jugar al fútbol y jugamos en un campo.
5. Yo sé jugar al voleibol y juego en una cancha.

H. Answers will vary.

I.
1. Juegan al béisbol.
2. Ellos están en un campo/estadio.
3. Uno lleva un bate y un casco. El otro lleva una gorra y un guante.
4. Los Cardenales ganan.
5. Sí,/No, no sé jugar al béisbol.

Examen para hispanohablantes

A.
1. Piensa que los deportes de equipo son tan interesantes como los deportes individuales.
2. Prefiere el voleibol porque es más divertido.
3. El fútbol es su deporte de equipo favorito porque hay más acción.
4. El tenis es más interesante.
5. Todos los deportes que prefiere son muy activos y, también, divertidos e interesantes.

B.
1. C
2. C
3. F
4. F
5. C

C. Answers will vary.

D.
1. c, g
2. d, j
3. e, i
4. b, h or f
5. a, f or h

E.
1. Nosotros sabemos andar en patineta, pero no jugamos al fútbol.
2. Yo sé nadar, pero no juego al fútbol americano.
3. Tú sabes levantar pesas, pero no juegas al hockey.
4. Lisa y Diego saben jugar al tenis, pero no juegan al baloncesto.
5. Mi papá sabe jugar al voleibol, pero no juega al béisbol.

F.
1. cierra/Answers will vary.
2. entendemos/Answers will vary.
3. pienso/Answers will vary.
4. pierdes/Answers will vary.
5. empiezan/Answers will vary.

G.
1. Anita es menos alta que Teresa./ Teresa es más alta que Anita.
2. El gato es menos gordo que el perro./ El perro es más gordo que el gato.
3. La blusa es tan grande como la camiseta.
4. Hay más de cuatro pelotas.
5. Le gusta el béisbol más que el baloncesto./Le gusta el baloncesto menos que el béisbol.

H. Answers will vary.

I. Answers will vary.

Etapa 3 Answer Keys

Information Gap Activities

Actividad 1

Estudiante A
camisetas, zapatos de tenis, trajes de baño, gorras, shorts y un paraguas

Estudiante B
un abrigo, zapatos de tenis, bufandas, calcetines, guantes y gorros

Actividad 2
Estudiante A
1. Gilberto patina sobre hielo en el invierno.
2. A Gilberto le gusta jugar al fútbol en el otoño.
3. Gilberto juega al béisbol en la primavera.
4. A Gilberto le gusta nadar en el verano.

Estudiante B
1. A Jimena le gusta jugar al voleibol (en la playa) en el verano.
2. Jimena juega al tenis en el otoño.
3. A Jimena le gusta esquiar (en la nieve) en el invierno.
4. Jimena camina (o corre) en la primavera.

Actividad 3
Estudiante A
1. A Marco Antonio le gusta ir a un río para sus vacaciones.
2. Marisol siempre va a una piscina para sus vacaciones.
3. A Juanita le gusta ir a un lago para sus vacaciones.

Estudiante B
1. Luis va a las montañas (a una montaña) para sus vacaciones.
2. A Sergio le gusta ir al bosque para sus vacaciones.
3. María de la Luz va a la playa para sus vacaciones.

Actividad 4
Estudiante A
1. Cuando hay viento, a Estela le gusta llevar pantalones y una camiseta.
2. Cuando está nublado, a Diana le gusta llevar un vestido y un paraguas.
3. Cuando hace fresco, a Juan Alberto le gusta llevar una chaqueta y unos jeans.

Estudiante B
1. Cuando hay sol, a Rosa María le gusta llevar unos shorts, una camiseta y una gorra.
2. Cuando hace frío, a Roberto le gusta llevar un abrigo, un gorro y una bufanda.
3. Cuando hace mal tiempo, a Ramona le gusta llevar un impermeable y un paraguas.

Video Activities

Actividad 1
1. C
2. C
3. F
4. F
5. F
6. C
7. F
8. F

Actividad 2
1. una camiseta
2. la bufanda
3. el mar
4. nevar
5. hace calor

Actividad 3
1. F; A Diana sí le gusta la ropa de invierno de Roberto.
2. C
3. F; En Puerto Rico, nadie necesita abrigos ni bufandas/todos necesitan shorts, trajes de baño y gafas de sol.
4. F; Roberto sí quiere ir al bosque.
5. C

Actividad 4
1. 1
2. 10
3. 8
4. 7
5. 2
6. 6
7. 4
8. 3
9. 9
10. 5

Cooperative Quizzes

Quiz 1
1. hace frío
2. hace buen tiempo
3. hace calor
4. hace fresco
5. está lloviendo/llueve/está nublado

Quiz 2
1. tiene frío
2. tienen ganas de
3. tengo sueño
4. tienes prisa
5. tenemos razón

Quiz 3
1. Sí, va a sacarlas en Mayagüez./Sí, las va a sacar en Mayagüez.
2. No, no lo toman durante la semana.
3. Sí, queremos comprarlos./Sí, los queremos comprar.
4. Nosotros lo tenemos.
5. Sí, nosotros los practicamos cuando hace buen tiempo.

Quiz 4
1. Tomás lleva un impermeable porque está lloviendo.
2. Luisa lleva un suéter cuando está haciendo fresco.
3. Yo llevo mi traje de baño porque estoy tomando el sol.
4. El Yunque es tan bonito que Ana y Alejandro están sacando muchas fotos.
5. Hay sol en el parque y Guillermo y yo estamos jugando al fútbol.

Exam Form A
1. b
2. b
3. b
4. d
5. c

B.
1. F
2. F
3. C
4. F
5. C

C. Answers will vary.

D.
1. frío
2. hambre
3. cuadros
4. leyendo
5. shorts
6. oyendo/escuchando
7. traje de baño
8. miedo
9. suerte
10. suéter

E.
1. tiene frío
2. tienen ganas
3. tenemos miedo
4. tienen suerte/tienen razón
5. tengo prisa

F.
1. (Juan) la conoce.
2. (Gabriela) los lee.
3. (Juan) quiere verla./(Juan) la quiere ver.
4. lo necesito.
5. (Tito y yo) queremos verlas./(Tito y yo) las queremos ver.

G. Answers will vary.

H. Answers will vary.

I.
1. Hay sol./Hace buen tiempo.
2. La temperatura está a 85 grados.
3. No, no hace buen tiempo en San Antonio./No, hace mucho calor.
4. Está lloviendo/Llueve en Boston.
5. Está nublado en Los Ángeles.

Exam Form B
1. a
2. c
3. c
4. c
5. b

B.
1. C
2. F
3. F
4. C
5. F

C. Answers will vary.

D.
1. leyendo
2. traje de baño
3. suéter
4. frío
5. suerte
6. oyendo/escuchando
7. hambre/ganas de comer
8. cuadros
9. shorts
10. miedo

E.
1. tienen ganas
2. tiene frío
3. tengo prisa
4. tienen suerte/tienen razón
5. tener cuidado

F.
1. (Tito y yo)/ queremos verlas./(Tito y yo) las queremos ver.
2. lo necesito.
3. (Gabriela) los lee.
4. (Juan) quiere verla./(Juan) la quiere ver.
5. (Juan) la conoce.

G. Answers will vary.

H. Answers will vary.

I.
1. Está lloviendo/Llueve en El Paso.
2. La temperatura está a 60 grados en San Antonio.
3. Answers will vary. Possible answer: Sí, hace buen tiempo en Los Ángeles.
4. Está nevando en Boston.
5. Hace viento en San Antonio./Hay viento en San Antonio./Hace fresco en San Antonio.

Examen para hispanohablantes

A.

1. Óscar y su familia necesitan shorts, camisetas y trajes de baño.
2. Borinquen es Puerto Rico. (Es el nombre indígena de la isla que ahora conocemos como Puerto Rico.)
3. En Chicago hace mucho frío y está nevando.
4. Necesitan bronceador porque van a ir a la playa./Necesitan bronceador porque hay mucho sol./Necesitan bronceador porque hay que tener cuidado con el sol.
5. No necesitan abrigos en San Juan porque hace calor/no hace frío en Puerto Rico.

B.

1. F
2. C
3. C
4. F
5. F

C. Answers will vary.

D.

1. I, ...un traje de baño.
2. L
3. L
4. I, ... un paraguas/un impermeable.
5. I, ... un abrigo/una chaqueta/un súeter.

E.

1. tiene miedo
2. tienen hambre
3. tenemos frío
4. tienen ganas
5. tiene sueño

F.

1. La escribo para el abuelo.
2. Papá quiere leerlo./Papá lo quiere leer.
3. Felipe y Tomás la ven por la tarde.
4. Tú siempre las preparas cuando hay una fiesta.
5. Patricia y yo queremos oírlos./Patricia y yo los queremos oír.

G.

1. Yo estoy escribiendo la carta para el abuelo.
2. Papá está leyendo el periódico.
3. Felipe y Tomás están viendo la televisión.
4. Tú estás preparando las invitaciones para la fiesta.
5. Patricia y yo estamos oyendo los discos compactos de Luis Miguel.

H. Answers will vary.

I. Answers will vary.

Unit Comprehensive Test

A.

1. Puedo
2. Sabe
3. mensaje
4. dígale
5. adiós

B.

1. sabe jugar al tenis
2. sabemos nadar
3. sé jugar al béisbol
4. saben patinar/jugar al hockey
5. sabes levantar pesas

C. Answers will vary.

D.

1. F
2. F
3. F
4. F
5. F

E. Answers will vary.

F.

1. el béisbol
2. Answers will vary. Possible answer: Roberto Clemente
3. Los equipos que juegan durante la temporada del invierno forman la liga de invierno./Unos jugadores de las ligas mayores y menores de Estados Unidos y jugadores puertorriqueños forman la liga de invierno.
4. Coliseo Roberto Clemente
5. Empieza en octubre.
6. Hay competiciones de surfing.
7. Llegan en canoas.
8. Está en San Juan.
9. Se llama «La Borinqueña».
10. Answers will vary.

G.

Es la semana de pruebas y muchos estudiantes están muy preocupados. David y José no saben qué notas van a sacar en sus pruebas y están un poco **1.** nerviosos. Sofía Teresa y Alma Delia están **2.** alegres porque acaban de sacar muy buenas notas en la prueba de geometría. Al contrario, Juan Antonio está **3.** deprimido porque no sabe estudiar y saca malas notas. Angélica no está preocupada. Siempre estudia muy bien y por eso está **4.** tranquila. Tomás y Estela acaban de tomar la prueba de inglés. Mañana tienen la prueba de historia, por eso están muy **5.** ocupados con los estudios.

H.

1. Ellos vienen del estadio.
2. Viene de la cancha.
3. Answers will vary. A possible answer is: Vienen del parque.
4. Vengo de la piscina/del lago/ de la playa.
5. Venimos del cine.

I.

Hoy **1.** juegan Los Tigres contra Los Pumas, mis equipos de fútbol favoritos. Yo **2.** sé que el partido **3.** empieza a las dos de la tarde. Voy con Anselmo. Él y yo **4.** queremos llegar al estadio a tiempo, por eso nos vamos a la una de la tarde. Nosotros **5.** sabemos que nuestros amigos van a llegar después. En general, después de ver un partido, nos gusta merendar en nuestro café favorito.

J.

1. David es más alto que Ángel./Ángel es menos alto que David.
2. Ángel está más contento que David./ David está menos contento que Ángel.
3. David es más activo que Ángel./Ángel es menos activo que David.

K.

1. las necesito.
2. vamos a comprarlos/los vamos a comprar.
3. Marcelina quiere llevarlos/Marcelina los quiere llevar.
4. Francisca no va a comprarla/Francisca no la va a comprar.
5. Martín lo lleva.

L.

1. José Ángel está oyendo la música de Ricky Martin.
2. Yo estoy leyendo una novela romántica.
3. Maruca y Pepa están jugando al voleibol en la playa.
4. Tú estás cantando karaoke en el centro para los estudiantes.
5. Nosotros estamos esquiando en los Pirineos.

M. Answers will vary.

N.

Part 1: Answers will vary.
Part 2: Answers will vary.

Prueba comprensiva para hispanohablantes

A.

1. acompañar
2. inteligente
3. nervioso
4. verano
5. otoño
6. pelirrojo
7. castaño
8. gorro
9. señorita
10. traje de baño

B.

Image on upper left:	4
Image on upper right:	possibly 3
Image on lower left:	2, 5
Image on lower right:	1, and possibly 3

C. Answers will vary.

D. Answers will vary.

E.

1. el béisbol
2. Answers will vary. Possible answer: Roberto Clemente
3. Los equipos que juegan Rico durante la temporada del invierno forman la liga de invierno./Unos jugadores de las ligas mayores y menores de Estados Unidos y jugadores puertorriqueños forman la liga de invierno.
4. Coliseo Roberto Clemente
5. Empieza en octubre.
6. Hay competiciones de surfing.
7. Llegan en canoas.
8. Está en San Juan.
9. Se llama «La Borinqueña».
10. Answers will vary.

F.

1. acabo de nadar. Vengo de la piscina/ de la playa/del lago.
2. acaban de jugar al tenis. Vienen de la cancha.
3. acaba de jugar al fútbol. Viene del estadio/campo.
4. acabamos de ver una película. Venimos del cine.
5. acaban de tomar el sol. Vienen de la playa./Vienen de la piscina.

G.

1. María Teresa y Juan tienen ganas de tomar el sol en la playa.
2. Joaquín y tú (no) tienen frío porque (no) llevan sus abrigos.
3. Antonieta tiene miedo de patinar sobre hielo.
4. Nosotros usamos bronceador porque tenemos cuidado con el sol.
5. Son las once de la noche y ya tengo sueño.

H.

1. Mario sabe nadar. Va a la piscina/a la playa/al lago.
2. Claudia y Mario Antonio saben andar en patineta. Van al parque.
3. Pedro y yo sabemos jugar al béisbol. Vamos al campo/estadio.
4. Luis Enrique sabe esquiar. Va a la montaña (las montañas).
5. Estela y Concha saben jugar al tenis. Van a la cancha.

I.

1. Caminar es mejor que correr./Correr es mejor que caminar.
2. Leer es más divertido que escribir./ Escribir es más divertido que leer.
3. Ir de compras es más interesante que ir a la playa./Ir a la playa es más interesante que ir de compras.
4. El tenis es menos emocionante que el voleibol./El voleibol es menos emocionante que el tenis.
5. Ver la televisión es más aburrido que ir al cine./Ir al cine es más aburrido que ver la televisión.

J.

1. siempre quiere verla a las ocho de la noche./siempre la quiere ver a las ocho de la noche.
2. preferimos oírlos./los preferimos oír.
3. quiero leerlo todos los días./lo quiero leer todos los días.
4. quiere escribirla./la quiere escribir.
5. prefiere sacarlas en el bosque./las prefiere sacar en el bosque.

K.

1. Daniela está comiendo la cena.
2. Ustedes están leyendo libros.
3. Nosotros estamos jugando al baloncesto.
4. Tú estás escribiendo una carta.
5. Pepa y Candela están esquiando en la montaña.

L. Answers will vary.

M.

Parte 1:

1. Ignacio va al cine todos los fines de semana.
2. Sí, Gerónimo nada todos los jueves.
3. Mariela patina sobre hielo todos los domingos.
4. Ruth y Rubí juegan al fútbol los martes por la tarde.
5. A Luis Esteban le gusta pasear los fines de semana.

Parte 2: Answers will vary.

Multiple Choice Test Items

Etapa 1

1. c
2. a
3. b
4. c
5. d
6. b
7. a
8. d
9. c
10. a
11. d
12. d
13. a
14. c
15. b
16. b
17. d
18. a
19. c
20. b

Etapa 2

1. a
2. c
3. d
4. b
5. c
6. a
7. d
8. a
9. d
10. b
11. c
12. b
13. d
14. c
15. b
16. a
17. c
18. b
19. d
20. a

Etapa 3

1. b
2. c
3. a
4. c
5. b
6. a
7. c
8. c
9. b
10. a
11. b
12. a
13. c
14. b
15. b
16. a
17. c
18. b
19. c
20. a

Midterm

1. b
2. b
3. c
4. a
5. d
6. b
7. a
8. c
9. a
10. d
11. c
12. a
13. c
14. a
15. d
16. d
17. c
18. b
19. d
20. c
21. a
22. c
23. d
24. c
25. c
26. d
27. b
28. b
29. b
30. a
31. d
32. c
33. b
34. c
35. a
36. b
37. c
38. a
39. b
40. b

Answers for **Escritura** and **Hablar** will vary.